Mafius, Georg

Allmanach für Aertze und Nichtärzte, auf das Jahr 1816

Mafius, Georg Heinrich

Allmanach für Aertze und Nichtärzte, auf das Jahr 1816

Inktank publishing, 2018

www.inktank-publishing.com

ISBN/EAN: 9783750148499

Almanach

für

Aerzte und Nichtärzte,

auf

das Jahr 1816.

Herausgegeben

von

Dr. Georg Heinrich Masius,

Professor der Arzneywissenschaft auf der Universität zu Rostock,
verschiedener gelehrten Gesellschaften Mitgliede.

Mit 2 zu S. 28 gehörenden Tabellen.

Rostock.
(Auf Kosten des Herausgebers.)
Gedruckt in der Adlerschen Offizin.

verehrten   vormaligen   Kollegen,

dem

H e r r n

Dr. H. F. L i n c k,

Professor der Botanik
und Director des botanischen Gartens auf der Universität
zu Berlin,
der Königl. Academie der Wissenschaften daselbst und vieler
andern gelehrten Gesellschaften Mitgliede,

w i d m e t

diesen Jahrgang

mit Hochachtung und Freundschaft

der Herausgeber.

Kränklichkeit und häusliche Widerwärtigkeiten haben die Herausgabe dieses Allmanachs, der an die Stelle des medizinischen Kalenders für Aerzte und Nichtärzte tritt, aufgehalten. Von jetzt an wird derselbe nicht mehr mit besonderer Rücksicht auf Mecklenburg und Pommern erscheinen, sondern auch die Medizinal=Angelegenheiten anderer Provinzen Deutschlands zum Gegenstande haben. In dieser Rücksicht schon in diesem Jahre etwas Vorzügliches zu liefern, war nicht möglich, weil die auswärtigen Nachrichten von den Correspondenten zum Theil erst nach beynahe beendigtem Drucke eingegangen sind. Indessen kann ich für den folgenden Jahrgang interessante Nachrichten über das Medizinalwesen verschiedener deutschen Staaten versprechen. Die kommenden Jahrgänge sollen überhaupt nicht arm an Nachrichten von Sa=

nitäts-Anstalten seyn, und außerdem alle bekannt werdenden Merkwürdigkeiten in medizini-
scher Rücksicht, in so weit sie zugleich für den
Nichtarzt belehrend sind, enthalten.

Zum Titelkupfer war dießmahl die Ansicht
des neuen Gebäudes am Seebade zu Doberan
bestimmt. Die Platte ist auch in meinen
Händen, aber so schlecht gerathen, daß ich
unmöglich Abdrücke davon vorlegen kann.
Ich verspreche diese aber zuverlässig zu
dem künftigen Jahrgange, unbeschadet des zu
demselben gehörenden Titelkupfers, nachzu-
liefern.

M.

Inhalt.

9

Medizinal = Zeitrechnung.

	V. Chr. Geb.
Aelteste ägyptische Medizin	
— — chinesische Medizin ⎰ ohngefähr	2184 J.
Erste Nachricht von Aerzten beim Moses — —	1672 —
Heilung des Wahnsinns durch Nießwurz — —	1398 —
Erste Bearbeitung der Theorie der Medizin durch die	
Philosophen — — — — —	594 —
Hippocrates — — — —	456 —
Tempel der Hygea in Athen — — — —	434 —
Emporkommen des Studiums der Physiologie und	
Naturgeschichte — — —	363 —
Gesetzliche Ausübung der Geburtshülfe durch Frauen=	
zimmer in Athen — — — —	500 —
Aufnahme der Arzneikunde in Rom — — —	100 —
Die Römischen Aerzte erhalten das Bürgerrecht —	62 —

	N. Chr. Geb.
Das erste Disspensatorium — —	43
Verfall der Medizin durch Einmischung theurgischen	
Unsinns — — — —	138
Reformation der Medizin durch Gallen —	155
Abermaliger Verfall der Medizin durch Einmischung	
schwärmerischer cabalistischer Grillen, magischen Un=	
sinns und dialektischer Grübeleien — — —	211
Diocletians Gesetze gegen die Magie und Alchemie	284
Blühender Zustand der Schule zu Alexandrien,	
vorzüglich auf Medizin — —	340
Archiatri populares nach den 14 Regionen der Stadt Rom	364
Hoher Rang der Archiater — —	380
Allgemeine Barbarei und Finsterniß im Occident	636
Wahrsagerei aus dem Urine — — —	775
Schriften über Krankheiten der Pferde werden gesammelt	917
Ausübung der Arzneikunst durch die Mönche —	1065
Collegium medicum zu Bagdad —	1100
Medizinische Facultät zu Paris —	1215
Mondini's erste öffentliche Zergliederung —	1315
Epidemischer St. Veitstanz in Deutschland —	1374

l

11

Universitäten:

Wien 1384. Heidelberg 1385. Köln 1388.
Erfurt 1392. Krakau 1401. Würzburg 1406.
Leipzig 1409. Trier 1434. Greifswald 1456.
Basel 1459. Ingolstadt 1742. Tübingen 1472.
Upsala und Kopenhagen 1478. Mainz 1484.
Wittenberg 1502. Frankf. a. d. O. 1506.

Die Aerzte in Paris (risum teneatis!) verbinden sich
mit den Barbierern gegen die Wundärzte — 1505

Universität zu Toledo 1518, zu Rostock 1519, zu
Marburg 1527, zu Cusco in Peru 1536, zu Lausanne
1536, zu Königsberg 1544, zu Jena 1548, zu Dillingen
1550, zu Besançon 1564, zu Strasburg 1566, Leyden
1575, Helmstädt 1576, Edinburg 1580, zu Bamberg
und Franecker 1585.

Magnetcuren von Paracelsus — — — 1598

Universität zu Gießen 1707, Pampelona 1608,
zu Gröningen 1613, zu Rinteln 1621, zu Salzburg
1623, Abo 1640.

Chinarinde in Europa eingeführt durch die Jesuiten 1649

Universitäten zu Harerwyk und Duisburg 1655, zu
Insprutk 1673, zu Halle 1694, Göttingen 1737, Er-
langen 1743, Stuttgard 1781.

Streitigkeiten der Aerzte über den Ursprung und den
Nutzen des Thees — — — 1680

Erste Impfung der Tochter der Lady Montague im April 1721

Der Herzog von Orleans stirbt an den inoculirten Pocken 1723

Erste Gesellschaft zur Rettung der Scheintodten in
Amsterdam — — — 1767

Entdeckung des thierischen Magnetismus — 1784

Brown — der famöse Reformator — stirbt — 1788

Leichenhaus zu Weimar — — 1791

Kuhpockenimpfung in England seit — 1798

Erste Kuhpockenimpfung in Mecklenburg durch Grau-
mann — — — — 1800

Erste Kuhpockenimpfung in Schwedisch-Pommern durch
Haselberg und Masius — — 1801

Der thierische Magnetismus, in einigen Städten
Deutschlangs von Neuem Modo seit — 1808

Mesmers Schwärmerei, nach seinem Tode bekannt
gemacht von Wolfart — — 1814

Die Pest verbreitet sich bis nach Italien. — 1816

Januar hat 31 Tage.

1	M.	Ahrens.
2	D.	Assur.
3	M.	Bieber.
4	D.	Birkenstock.
5	F.	Breitenwald.
6	S.	Bubendey.
7	S.	Büttner.
8	M.	Caspar.
9	D.	Chaufepié.
10	M.	Cohen.
11	D.	Crone.
12	F.	Crusius.
13	S.	Danzel.
14	S.	Eimbke.
15	M.	Fleischer.
16	D.	Fricke.
17	M.	Fuhr.
18	D.	Furth.
19	F.	Gerike.
20	S.	Graßmeyer.
21	S.	Gumprecht.
22	M.	Gumprecht.
23	D.	Hanemann.
24	M.	Hasse.
25	D.	Heydrich.
26	F.	Homann.
27	S.	Hoyer.
28	S.	Japha.
29	M.	Illert.
30	D.	Kluth.
31	M.	Kunhardt.

Praktische Aerzte in Hamburg.

1*

Februar hat 29 Tage.

1	D.	Lappenberg.
2	F.	Levy.
3	S.	Maaß.
4	S.	Minder.
5	M.	Meyer.
6	D.	Müller sen.
7	M.	Müller.
8	D.	Nordt.
9	F.	Oberdorffer.
10	S.	Ortmann.
11	S.	Pfund.
12	M.	Redlich.
13	D.	Ritter.
14	M.	Rückart.
15	D.	Schaumann.
16	F.	Schiffmann.
17	S.	Schleiden.
18	S.	Schmidt.
19	M.	Schmidt.
20	D.	Schramm.
21	M.	Schroeder.
22	D.	Schroedter.
23	F.	Schwarz.
24	S.	Siedenburg.
25	S.	Skobel.
26	M.	Spangenberg.
27	D.	Steinbein.
28	M.	Warmers.
29	D.	Willert.

Praktische Aerzte in Hamburg.

März hat 31 Tage.

1	F.	Woeniger.
2	S.	Leo Wolff.
3	S.	Wolff jun.
4	M.	Zwank.
5	D.	T. F. Trendelnburg.
6	M.	H. W. Danzmann.
7	D.	F. A. Schetelig.
8	F.	J. H. Ackermann.
9	S.	B. H. Jacobsen.
10	S.	C. H. Curtius.
11	M.	G. H. Behn.
12	D.	C. C. Berge.
13	M.	M. L. Leithoff.
14	D.	F. D. Köster.
15	F.	F. C. Molter.
16	S.	G. S. Stierling, Arzt in Travemünde.
17	S.	S. G. Vogel.
18	M.	W. Josephi.
19	D.	G. H. Masius.
20	M.	C. T. Brandenburg.
21	D.	L. C. Treviranus.
22	F.	G. G. Detharding.
23	S.	C. Sebold.
24	S.	J. C. T. Brückner.
25	M.	C. Breitenbücher.
26	D.	Fr. Wittstock.
27	M.	B. C. Krüger.
28	D.	J. C. H. Alban.
29	F.	C. W. Hennemann.
30	S.	J. D. W. Sachse.
31	S.	J. F. Greßmann.

Aerzte in Hamburg.

Praktische Aerzte in Lübeck.

Professoren.

Aerzte in Rostock.

Aerzte in Schwerin.

April hat 30 Tage.

1	M.	W. Hennemann.	
2	D.	J. G. H. Grapengießer.	Aerzte in Schwerin.
3	M.	C. H. C. Driver.	
4	D.	J. Rossi.	
5	F.	C. J. C. Hennemann.	
6	S.	C. G. Sagar.	
7	S.	C. E. Schaeffter.	Aerzte in Stralsund.
8	M.	N. Morien.	
9	D.	Th. F. Walter.	
10	M.	N. Struck.	
11	D.	C. E. v. Weigel.	
12	F.	L. W. v. Haselberg.	
13	S.	J. Quistorp.	
14	S.	P. D. B. Seiffert.	Aerzte in Greifswald.
15	M.	L. J. C. Mende.	
16	D.	E. U. Warnekros.	
17	M.	E. C. Overkamp.	
18	D.	C. Meyer.	
19	F.	F. Hieronimi.	
20	S.	C. F. L. Wildberg.	Aerzte in Neustrelitz.
21	S.	W. Götze.	
22	M.	J. Ch. Gläsel.	
23	D.	A. F. Th. Brückner.	
24	M.	C. F. Schulze.	
25	D.	Ch. T. Siemerling.	Aerzte in Neubranden-burg.
26	F.	H. Walter.	
27	S.	A. F. Brückner.	
28	S.	C. F. F. Kirchstein.	Leibärzte in Ludewigs-lust.
29	M.	J. G. Störzel.	
30	D.	C. C. Wittstock.	

(Professoren.)

May hat 31 Tage.

1	M.	N. Kleos.
2	D.	G. A. Brückner.
3	F.	J. H. Becker.
4	S.	Th. Josephi.
5	S.	N. Camman.
6	M.	J. G. Jahn.
7	D.	L. Burchard.
8	M.	C. L. Warnke.
9	D.	Fr. Ad. Fabricius.
10	F.	A. H. Holdorff.
11	S.	P. D. G. Willich.
12	S.	J. M. M'chaelsen.
13	M.	J. C. L. Reddelin.
14	D.	J. H. Heldt.
15	M.	J. D. Hellerung.
16	D.	F. G. F. Crull.
17	F.	J. Z. Schmidt.
18	S.	J. F. Hasse.
19	S.	C. Berlin.
20	M.	F. H. Berg.
21	D.	L. Goeden.
22	M.	J. E. Hafner.
23	D.	C. Schulz.
24	F.	C. M. Vogt.
25	S.	J. Plotzius, Arzt in Sülz.
26	S.	D. Bartels.
27	M.	P. D. du Mesnil.
28	D.	J. D. Marqwardt.
29	M.	N. Boysen.
30	D.	C. Kuntz.
31	F.	N. Gläveke.

Aerzte in Ludewigslust. M. S.

Aerzte in Parchim. M. S.

Aerzte in Güstrow. M. S.

Aerzte in Bützow. M. S.

Aerzte in Wismar. S. M.

Aerzte in Boitzenburg. M. S.

Aerzte in Friedland. M. Strelitz.

Aerzte in Wittenburg. M. S.

Aerzte in Dömitz. M. S.

Aerzte in Grabow. M. S.

Aerzte in Grevismühlen. M. S.

Junius hat 30 Tage.

1 | S. | L. W. E. Benefeldt, Arzt in Doberan.

2 | S. | F. Bartels.
3 | M. | L. Dornblüth. } Aerzte in Plau.
4 | D. | J. D. Volkmann.
5 | M. | F. L. Nizze. } Aerzte in Ribnitz.
6 | D. | F. L. Dreyer.
7 | F. | F. Klainforge. } Aerzte in Hagenow.
8 | S. | A. F. Willgohs, Arzt in Neukalden.

9 | S. | H. W. Pfuhl.
10 | M. | W. Th. D. Kortum. } Aerzte in Penzlin.
11 | D. | W. B. E. Ebel.
12 | M. | F. M. Kähler. } Aerzte in Gnoien.
13 | D. | B. D. Jahn.
14 | F. | C. L. Suckstorff. } Aerzte in Neubuckow
15 | S. | H. F. A. Scheve, Arzt in Malchin.

16 | S. | G. Born.
17 | M. | P. Albert. } Aerzte in Crivitz.
18 | D. | A. H. Volger, Arzt in Sternberg.
19 | M. | C. L. Wishfe.
20 | D. | C. F. Hink. } Aerzte in Tessin.
21 | F. | J. C. Lukow. } Aerzte in Staven-
22 | S. | N. Sparmann. } hagen.

23 | S. | J. D. A. Haecker, Arzt in Dassow.
24 | M. | J. F. Bornemann, Arzt in Goldberg.
25 | D. | H. F. Wilgohs, Arzt in Neukalden.
26 | M. | C. Friedrichs, Arzt in Lübz.
27 | D. | W. Passow, Arzt in Malchow.
28 | F. | L. F. C. Lorenz, Arzt in Neustadt.
29 | S. | C. Thoms, Arzt in Teterow.

30 | S. | M. F. Grüneberg, Arzt in Lübtheen.

Julius hat 31 Tage.

1	M.	Fr. Petermann.	Aerzte in Wahren.	M. G.
2	D.	J. F. Dörry.		
3	M.	J. A. G. Böttcher.	Aerzte in Rehna.	
4	D.	J. Reinholdt.		
5	F.	Fr. Henning.	Aerzte in Barth.	
6	S.	H. W. Bindemann.		

7	S.	A. F. Heller.	Aerzte in Wolgast.	Im vormaligen Schwedisch-Pommern.
8	M.	A. Th. Kriebel.		
9	D.	F. C. H. Creplin.		
10	M.	J. P. K. Stucker, Arzt in Grimmen.		
11	D.	C. F. C. Meyer, Arzt in Loitz.		
12	F.	J. Benedir.	Aerzte in Bergen.	
13	S.	J. C. Frank.		
14	S.	J. P. Krüger.		
15	M.	J. N. Ellerholz, Arzt zu Wyk.		
16	D.	J. L. Held, Arzt zu Garß.		
17	M.	J. F. Hasper, Arzt zu Sagard.		
18	D.	J. H. Rhode, Arzt zu Gingst.		
19	F.	C. L. O. Wagner, Arzt zu Triebsees.		
20	S.	A. Heidtmann, Arzt zu Gutzkow.		

21	S.	C. F. Berlin.	Aerzte in Friedland.	Meckl. Strelitz.
22	M.	F. H. Berg.		
23	D.	L. Goeden.		
24	M.	C. G. Jacobi, Arzt in Fürstenberg.		
25	D.	J. Th. Wiechmann, Arzt in Woldegk.		
26	F.	N Hunius, Arzt in Altstreliz.		
27	S.	A. F. Stoy, Arzt in Mirow.		

28	S.	F. J. Blumenbach.	Professoren in Göttingen.
29	M.	J. F. Strohmeyer.	
30	D.	B. F. Osiander.	
31	M.	C. Himly.	

August hat 31 Tage.

1	D.	L. v. Crell.	
2	F.	Strohmeyer jun.	Professoren in Göttingen.
3	S.	Hempel.	
4	S.	Langenbeck.	
5	M.	F. Stieglitz, Leibmedicus in Hannover.	
6	D.	Mühry.	Hofmedici in Hannover.
7	M.	Lodemann.	
8	D.	Detmoldt, Arzt in Hannover.	
9	F.	Olbers.	Aerzte in Bremen.
10	S.	Albers.	
11	S.	C. W. Hufeland.	
12	M.	H. Fr. Linck.	
13	D.	C. Knape.	
14	M.	Fr. Hufeland.	
15	D.	C. A. F. Kluge.	
16	F.	K. C. Wolfart.	
17	S.	C. Gräfe.	Professoren in Berlin.
18	S.	E. Horn.	
19	M.	L. Formey.	
20	D.	C. Rudolphi.	
21	M.	Lichtenstein.	
22	D.	Horkel.	
23	F.	Reich.	
24	S.	Bernstein.	
25	S.	E. Plattner.	
26	M.	C. F. Ludwig.	
27	D.	K. G. Kühn.	
28	M.	Ch. G. Eschenbach.	Professoren in Leipzig.
29	D.	Rosenmüller.	
30	F.	Clarus.	
31	S.	Gilbert.	

September hat 30 Tage.

1	S.	Heinroth.	
2	M.	Puchelt.	
3	D.	Wendler.	
4	M.	Haase.	Professoren in Leipzig.
5	D.	Eisfeldt.	
6	F.	Jörg.	
7	S.	Hahnemann.	
8	S.	Leune.	
9	M.	Segel.	
10	D.	Ritterich.	
11	M.	Knoblauch.	Privatdocenten der Me-
12	D.	Kuhl.	dicin in Leipzig.
13	F.	Schwartze.	
14	S.	Richter.	
15	S.	Müller.	
16	M.	Robbi.	
17	D.	Cerutti.	
18	M.	D. G. Balk.	
19	D.	M. E. Styr.	Professoren der M.
20	F.	C. F. Deutsch.	zu Dorpat.
21	S.	L. E. Cichorius.	
22	S.	J. C. Moier.	
23	M.	C. G. Gruner.	
24	D.	Starke.	
25	M.	Succow.	
26	D.	Fuchs.	Professoren der M.
27	F.	Lenz.	zu Jena.
28	S.	Oken.	
29	S.	Kieser.	
30	M.	C. A. F. v. Hellfeld.	

1	D.	C. Sprengel.	
2	M.	Meckel.	
3	D.	Kletten.	
4	F.	Schröger.	
5	S.	Nitsch.	Professoren der Med. in Halle.
6	S.	Dzondi.	
7	M.	Senft.	
8	D.		
9	M.	Weber.	
10	D.	Fischer.	
11	F.	Pfaff.	
12	S.	Hegewisch.	Professoren der Med. in Kiel.
13	S.	Weber.	
14	M.	Reyher.	
15	D.	F. Wendt.	
16	M.	F. H. Löschge.	
17	D.	Harles.	Professoren der Med. in Erlangen.
18	F.	Hildebrandt.	
19	S.	K. P. Thunberg.	
20	S.	P. Afzelius.	Professoren der Med. in Upsala.
21	M.	B. Nordmark.	
22	D.	J. Afzelius.	
23	M.	G. E. Haartmann.	
24	D.	G. Barsdorff.	Professoren der Med. zu Abo.
25	F.	J. Pining.	
26	S.	K. N. Hillenius.	
27	S.	J. Gadolin.	
28	M.	H. H. Hallström.	
29	D.	A. Barfoth.	Professoren der Med. zu Lund.
30	M.	J. H. Engelhardt.	
31	D.	A. H. Flormann.	

November hat 30 Tage.

1	F.	E. Z. M. Rosenhold.
2	S.	E. L. Lilyewelch.

Professoren d. Med.
zu Lund.

3	S.	J. Schönnerberg.
4	M.	F. L. Bang.
5	D.	M. Skilderup.
6	M.	E. H. Myrster.
7	D.	H. E. Olsstedt.
8	F.	J. S. Sartorph.
9	S.	G. Becker.

Professoren der Med.
zu Kopenhagen.

10	S.	M. Vahl.
11	M.	Z. H. Schönheider.
12	D.	L. Manthey.
13	M.	N. Böttcher.
14	D.	Chaussier.
15	F.	Dumeril.
16	S.	Hahé.

17	S.	Deyeur.
18	M.	Pinel.
19	D.	Desgenettes.
20	M.	Richard.
21	D.	Bourdier.
22	F.	Sabatier.
23	S.	Lallement.

Prof. d. M. zu Paris.

24	S.	Pelletan.
25	M.	Boyer.
26	D.	Corvisart.
27	M.	Leronse.
28	D.	Dubois.
29	F.	Cabanis.
30	S.	Dupuytren.

December hat 31 Tage.

1	S.	Vauquelin.	
2	M.	Cuvier.	
3	D.	Thouret.	
4	M.	Sue.	Profeff. d. M. zu Paris.
5	D.	Delametrie.	
6	F.	Decandole.	
7	S.	Alph. Le Roy.	
8	S.	Beigel.	
9	M.	Beffel.	
10	D.	Brandes.	
11	M.	Börg.	
12	D.	Buzengliger.	
13	F.	David.	
14	S.	Ende.	
51	S.	Gauß.	
16	M.	Gerling.	
17	D.	Hartwig.	
18	M.	Hecker.	
19	D.	Horner.	
20	F.	Ideler.	Deutsche Astronomen.
21	S.	Mollweide.	
22	S.	Murchow.	
23	M.	Nicolai.	
24	D.	Olbers.	
25	M.	Oltmanns.	
26	D.	Pasquich.	
27	F.	Pfaff.	
28	S.	Soldner.	
29	S.	Triesnecker.	
30	M.	Wachter.	
31	D.	Wurm.	

I.

Medizinalwesen und Sanitätsanstalten

der

freien Hanseestadt Lübeck.

I. Medizinalwesen.

a.) **Medicinalgesetzgebung.** Zu derselben concurriren verfassungsmäßig der Senat und die Bürgerschaft gemeinschaftlich. — (Die Medicinalgesetze sind schon sehr alt und den jetzigen Zeiten nicht mehr angemessen, weßhalb auch im Jahre 1814 den Aerzten Lübecks der Auftrag vom Senate gemacht worden ist, einen Entwurf zu einer neuen Medizinal=Ordnung einzureichen. Dieses geschahe am Ende des Jahres, und es ist zu hoffen, daß die zur Revision übergebene vollständige Medizinalordnung, nebst der Taxe für Aerzte, Wundärzte, Apotheker und Hebammen, baldigst werde bestätiget werden.)

b.) **Medizinalverwaltung.** Dazu sind bisher verordnet zwei Senatoren und vier Bürger. Zu den Medizinalbeamten gehören der Physicus, ein Hebammenlehrer und der Rathschirurgus. (In dem Entwurfe zu der neuen Medizinalordnung ist die Organisation eines Medizinalrathes vorgeschlagen, ohne welchen sich allerdings auch keine zweckmäßige Medizinalverwaltung denken läßt.)

Stadtphysicus. Er führet die Aufsicht über Wundärzte, Apotheker und Hebammen, visitiret die Apotheken und besorgt außerdem die Geschäfte eines Medici publici. Die gerichtlichen Obductionen werden, in Gegenwart des Prätors und des Actuarius unter der Leitung des Physicus von dem Rathschirurgus vorgenommen. (Außerdem kommen die Aerzte häufig zusammen, um gemeinschaftlich ihre Erfahrungen auszutauschen und die nöthigen Einrichtungen zu treffen.)

c.) Medicinal = Personen. Aerzte 11, Wundärzte 15, Apotheker 6, (?) Hebammen , (Seelen 22 bis 23000.)

Travemünde. 1 Arzt, 1 Wundarzt, 1 Hebamme.

A. Jetzt lebende Aerzte.

1. Dr. Theod. Friedr. Trendelnburg, geb. zu Lübeck den 3. Octbr. 1755.

2. Dr. Heinr. Wilh. Danzmann, geb. zu Kiel, den 5. Sept. 1759, (früher auch Seebadearzt zu Travemünde.)

3. Dr. Jacob August Schetelig, Hebammenlehrer, geb. zu Schönberg in Hollstein d. 1. Febr. 1764.

4. Dr. Joh. Heinrich Ackermann, geb. zu Lübeck d. 13. April 1767.

5. Dr. Bernh. Heinr. Jacobsen, geb. zu Lübeck d. 19. Febr. 1785.

6. Dr. Carl Herm. Curtius, Garnisonsarzt; geb. zu Lübeck d. 15. Febr. 1766.

7. Dr. Georg Heinr. Behn, geb. zu Lübeck d. 29. Aug. 1773.

8. Dr. Carl Christoph Berge, geb. zu Halberstadt, d. 10. Febr. 1772.

9. Dr. Matth. Ludw. Leithoff, geb. zu Lübeck 1767.

10. Dr. Joh. Detl. Köster, geb. zu Lübeck d. 16. Septbr. 1779.

11. Dr. Friedr. Christ. Malter, geb. zu Cassel d. 23. April 1783.

12. Seebadearzt zu Travemünde.

Dr. Gysbert Swartendyk Stierling.

B. Jetzt lebende Wundärzte:

C. E. Martini. J. A. Probst. C. H. G. Sahr. J. C. Donner. J. G. Els. J. C. Vogter. J. H. Heimbrecht. J. G. C. Wolter. J. A. Lieboldt. M. J. R. Pabst. F. J. D. Weinberg. H. M. Jürgens. F. Lauterborn. R. G. Jehring. J. M. W. Boenighaus.

C. Apotheker.

E. Lüttich. J. S. Horcher. Fr. Fr. Kindt. Ad. Chr. Sager. Fr. Ferd. Cuwe.

Witwe Möller in Travemünde.

d.) Medizinal = Anstalten.

1. **Unterrichts=Anstalt für die Gehülfen der Lübecker Wundärzte.** Sie ist von der Gesellschaft zur Beförderung gemeinnütziger Thätigkeit gegründet. Den ersten Unterricht ertheilte Jahre hindurch Dr. Brehmer, wozu sich auch in der Folge Dr. Behn gesellte.

2. **Hebammen = Lehranstalt,** in welcher alle diejenigen, welche dieses Geschäft in der Folge ausüben wollen, von dem Hebammenlehrer unterrichtet, praktisch geübt, und nach gehöriger Prüfung und Bezeugung ihrer Fähigkeiten, erst als öffentliche Wehemütter angenommen werden. Bey schwierigen Fällen sind sie verbunden, den Hebammenlehrer zu Hülfe zu rufen, und überhaupt sich eines von demselben angegebenen Apparats (!?) zu bedienen.

(Wahrscheinlich wird die in dem vormaligen Gasthause neulich für die vertriebenen Hamburgerinnen eingerichtete Entbindungsanstalt in noch verbesserter Form fortdauern.)

II. Sanitäts=Anstalten.

(Die Sanitäts = Polizei wird von einer Deputation des Senats und der Bürgerschaft mit Zuziehung des Stadtphysicus, ausgeübt.)

a.) **Apotheken.** Vor der französischen Occupation hatte Lübeck nur zwei Apotheken; allein unter der französchen

2

zöfifchen Verwaltung entstanden durch Patente außer=
dem noch 4 Apotheken. Wie viel künftig bleiben wer=
den, ist bis dahin noch nicht bestimmt. — Die Visi=
tation geschieht jährlich und unvermuthet, von dem
Stadtphysicus mit Zuziehung eines oder mehrerer in der
Pharmacie erfahrner Aerzte, in Gegenwart einer Raths=
person und eines Protocollisten. Eine obrigkeitliche,
den Umständen nach veränderte Taxe bestimmt die Preise
der Medicamente.

b.) Seebadeanstalt. Von dieser wird weiterhin
die Rede seyn.

c.) Bade = Anstalt in dem Hause des Chirurgus
Weinberg in der untern Fleischhauerstraße Nro. 210,
von Dr. Walbaum veranlaßt, und seit 1794 von der
Gesellschaft zur Beförderung gemeinnütziger Thätigkeit
unterstützt. Hier werden kalte und warme, auch alle
Arten künstlicher Bäder (Kräuter = Schwefel= und See=
bäder) für billige Preise bereitet. Die Anlegung einer
Wasserleitung aus der Waknitz, und die Vergrößerung
der Zimmer waren wesentliche Bedürfnisse, und sichern
dieser Anstalt einen dauernden Fortgang.

d.) Die Rettungs = Anstalt zur Rettung und
Wiederbelebung ertrunkener und scheintodter Personen,
vom Dr. Walbaum gegründet und seit 1794 sehr ver=
bessert. Sie hat durch Prämien, durch zweckmäßige
Werkzeuge, die an bestimmten, dem Publicum bekann=
ten Orten an der Trave und Waknitz, aufbewahrt wer=
den, und aus Leitern, Haken, Wurfkugeln, Wagkör=
ben, Wärmebank, Elektrisirmaschinen u. dgl. bestehen,
und durch die Bemühungen der dabei beschäftigten
Wundärzte manches Leben gerettet; auch durch Verbes=
serungen der Waschtegee u. s. w. viele Gefahren verhü=
tet. Die projectirte Erweiterung ist durch die Zeitum=
stände verhindert.

e.) Die Schwimmschule, seit 1798, wo der sehr
geschickte Schwimmer, Kreydemann, im Sommer an
einem eingeschlossenen zweckmäßigen Platze an der Wak=
nitz in einem Garten nahe vor dem Hürterthore, beson=

ders 10 für das Seewesen bestimmten Knaben freien
Unterricht auf Kosten der mehrerwähnten Gesellschaft er=
theilt.   Sehr viele andere Kinder angesehener Eltern
nehmen an diesem Unterrichte Theil, und jährliche öffent=
liche Uebungen beweisen die Geschicklichkeit der Lernenden.

f.) Die Speise = Anstalt für Arme. Statt
der Geldunterstützungen der Armen wurde im J. 1812
eine besondere Speiseanstalt für dieselben errichtet. Jede
arme Familie erhält aus dieser Anstalt, nach Verhältniß
ihrer Glieder gewisse Portionen zubereiteter Speisen von
Erbsen, Graupen und Grütze, die man der Rumford=
schen Suppe weit vorzieht, weil man bey der 1800 er=
richteten und nun hiemit vereinigten Speiseanstalt den
überwiegenden Nutzen jener Speiseart erkannt hatte.
Im Sommer wird wöchentlich 4mahl, im Winter 6mahl
gekocht. Durch die Zubereitung der Speisen in großen
Gefäßen auf Spaarheerden hat man Reinlichkeit mit
möglichster Holzersparung zu verbinden gesucht. Diese
Kessel fassen 1200 Portionen. Von diesen Speisen sind
im Jahre 1812, 135,689, und 1813, 178,969 solcher
Portionen vertheilt. Die Armen erhalten blecherne Zei=
chen mit den Buchstaben des Quartiers und der Zahl
des Tages, welche sie an der Küche abgeben müssen.

g.) Krankenpflege der Armen. In den
Stadtbezirken sind 5, vor den Thoren 3 Krankenpfleger.
Diese würken zur Aufnahme, Besorgung, Heilung und
Speisung der armen Kranken, mit Hülfe der dafür be=
soldeten Armenärzte und eines Wundarztes. Sie suchen
auch den Bettlägerigen Suppe und Fleisch, Wärme,
und nöthigen Falls Bedeckung zu verschaffen. Im J.
1812 sind unterstützt: 838 Kranke, wovon nur 75 ge=
storben sind; und im J. 1813, 1379, wovon 1091 ge=
nasen, 127 gestorben, 13 entlassen, und 143 geblieben
sind.

(Noch verdienen hier in geschichtlicher Hinsicht ange=
führt zu werden 1) Die Unterstützungs = Com=
mission, welche sich in dem für Lübeck so unglückli=
chen Jahre 1806 aus den achtungswerthesten Männern
2*

aller Stände bildete, um denen, die durch die bekannten Barbaren Alles verlohren hatten, und durch Nahrlosigkeit verarmten, Kleidung und Nahrungsmittel zu verschaffen. Sie hatte z B. vom 28. Nov. 1808 bis 20. Mai 1809, 242,000 Mahlzeiten, 21,575 Brode, 1743 Scheffel Kartoffeln, außerdem Holz und Arzneien ausgetheilt, wozu über 24000 Mk. verwandt wurden; und vom 13. Nov. 1809 bis 5. Mai 1810 232,370 Portionen, 1176 Scheffel Kartoffeln, 25 Faden Holz und 28000 Soden Torf, mit einem Aufwand von 18258 Mk. Jetzt hat diese Commission wieder aufgehört. 2.) Die Militair = Hospitäler, welche durch die Zeitumstände der Stadt aufgelegt, und sowohl in diätetischer, als in medicinischer Hinsicht vortreflich bedienet wurden. 3) Die Anstalten für unglückliche Flüchtlinge, welche der Krieg vertrieben hatte. Es wurden, mit Beihülfe der von auswärts eingegangenen Gelder, seit Ende Dezembers 1813 bis Ende März 1814 allein 4390 arme vertriebene Hamburger aufgenommen, und mit Obdach, Wärme und Speisen versorgt, auch zum Theil gekleidet. Auch wurden für sie eigne Krankenhäuser und ein Entbindungshaus eingerichtet.

(Von andern öffentlichen Anstalten Lübecks wird in der folgenden Rubrik die Rede seyn.)

30

Schwedisch-Pommersche und Rügianische
Bevölkerungs- Geburts- und Sterbe-Listen
vom Jahre 1781 bis zum Jahre 1813.

(Die Garnison, so wie die Weiber und Kinder der Soldaten in Stralsund nicht mitgerechnet.)

Jahr.	Gezählet.			Geboren.				Gestorben.		
	Männl. Geschlecht.	Weibl. Geschlecht.	Summa.	Knaben.	Mädchen.	Uneheliche.	Summa.	Männl. Geschlecht.	Weibl. Geschlecht.	Summa.
1781	48206	52343	100549	1708	1549	197	3454	1034	1017	2105
1782	48950	52594	104240	1725	1539	202	3466	1515	1565	3080
1783	49024	53008	102032	1540	1492	198	3230	1422	1342	2764
1784	49370	53130	102500	—	—	—				
1785	49779	53566	103345	—	—	—				
1786	49626	53442	103068	1621	1524	175	3320	1270	1279	2549
1787	49610	53564	103177	1500	1306	206	3012	1491	1436	2927
1788	49616	54218	103834	1805	1712	189	3706	1290	1343	2633
1789	50651	54852	105502	1726	1626	212	3570	1204	1193	2307
1790	50751	55075	105826	1771	1582	235	3588	1331	769	2100
1791	51352	55453	106805	1715	1550	161	3426	1312	1405	2717
1792	51199	55517	106716	1815	1786	232	3833	1433	1516	2949
1793	51500	55666	107166	1882	1662	228	3782	1500	1447	2947
1794	50635	55856	106491	—	—	—				
1795	51707	56897	108604	1624	1533	206	3363	1752	1638	3390
1796	52189	56877	109066	1670	1644	244	3598	1623	1543	3166
1797	52859	57190	109788	1835	1746	228	3809	1235	1194	2429
1798	53066	57949	111015	1858	1785	286	3929	1337	1390	2727
1799	54019	58992	113011	2034	2044	252	4330	1311	1313	2624
1800	53913	59088	113001	1864	1810	276	3950	1534	1521	3055
1801	—									
1802	54444	58085	112529	—	—		—			
1803	55086	58728	113814	2110	1975	—	4085	1356	1380	2736
1804	55772	59264	115036	2184	2018	—	4202	1226	1276	2502
1805	56045	59481	115526	2149	1959	—	4101	1275	1340	2615
(Die Listen von den Jahren 1806, 1807 und 1808 fehlen gänzlich.)										
1809	59090	59590	118680	—	—	—				
1810	56612	60291	116903	2024	1951	—	3975	1458	1420	2878
1811	55401	60350	115751	2166	2021	—	4187	1939	1362	3801
1812	56938	60953	117891	2127	2037	—	4165	2199	1952	4151
1813	55881	61421	117272	2113	2035	—	4147	1354	1383	2775

II.

Nachrichten

von

öffentlichen Anstalten für das Leben, die Gesundheit und Sicherheit des Staatsbürgers.

I.

Das St. Annen = Kloster oder Armen = und Werkhaus in Lübeck.

(Kurze Beschreibung der freien Hanse = Stadt Lübeck. S. 80 f.)

Diese trefliche Anstalt, im Jahre 1502 gegründet, in den Jahren 1803 — 5 aber sehr erweitert, verdienet wegen ihrer zweckmäßigen Einrichtung, besonders aber wegen der musterhaften Sorgfalt, welche auf die Erziehung der Kinder verwandt wird, bekannter zu werden. Sie ist für arme, alte abgelebte Personen, verlassene und verwaisete, oder ganz arme Kinder, aber auch für Bettler und anderes loses Gesindel, selbst für Verbrecher bestimmt. Wie auffallend es auch sein mag, daß in einer und derselben Anstalt Kinder erzogen und Verbrecher aufbewahrt werden, so wird Jeder, der das Lübecker Werkhaus genau kennt, doch gestehen, daß beides neben einander bestehen kann, ohne daß für die Kinder daraus Nachtheil erwächst. Die Kinder sind nämlich von den ältern Personen durchaus abgesondert, haben eigne Lehrer und Wärterinnen, und ein hochgele=

genes, überhaupt sehr gesundes Local. Sie werden vom
vierten Jahre an aufgenommen und bleiben, bis sie in
Dienste gehen können. Jetzt befinden sich über 500 Personen beiderlei Geschlechts, worunter über 200 Kinder
sind, in der Anstalt.

Die Behandlung der Kinder ist äußerst zweckmäßig, und
Referent, so sehr er gegen alle Waisenanstalten eingenommen war, weil er wußte, wie es gewöhnlich in ihnen
herrscht, bekennt aufrichtig, daß, seitdem er diese Lübecker
Anstalt gesehen hat, er mit den Waisenhäusern doch etwas
wieder ausgesöhnet worden ist. Nie hat Referent eine
solche Reinlichkeit bei Waisenkindern gesehen; sie gehen mit
kurz abgeschnittenem Haare, im Hause ohne Bedeckung
umher; die Knaben tragen Jacken von einem bräun-
lichen Zeuge, die Mädchen von rothem Wollenzeuge.
Die Zimmer, worin sie sich am Tage aufhalten, sind
hoch, geräumig und luftig; bei großer Kälte werden
auch die Schlafzimmer geheizt. Sie bekommen durchaus gesunde und dem kindlichen Alter angemessene Kost.
Im Sommer müssen sie sich unter der Aufsicht eines
Lehrers fleißig baden; in einem geräumigen eingeschlossenen Hofe haben sie ihre Spielplätze, und außerdem ist
es ihnen auch erlaubt, wöchentlich ihre Angehörigen in
der Stadt zu besuchen. Kein Wunder, daß bei einer so
zweckmäßigen Behandlung die Kinder ein blühendes,
freundliches Ansehen haben, und durchweg sehr gesund
sind, so daß unter ihnen selten Todesfälle vorkommen.
Diejenigen, welche erkranken, werden von den Gesunden
sogleich separirt, und von einem geschickten Wundarzte
unter ärztlicher Aufsicht behandelt, auch von eignen
Wärterinnen gepflegt.

Aber auch selbst unter den Alten und Schwächlichen
ist die Sterblichkeit in dieser Anstalt sehr geringe, welches
hinreichend für die zweckmäßige innere Einrichtung derselben spricht. Die Gesunden und Arbeitsfähigen, Arme
sowohl, als Vagabonden, auch die nicht bettlägerigen
Kranken, Gebrechliche und alte Leute, müssen nach Verhältniß ihrer Kräfte und Fähigkeiten für das Haus arbei-

ten. Die Arbeiten bestehen größtentheils in Spinnen, Wergpflücken, Weben von Leinewand u. dgl. m., und geschehen in mehreren gemeinschaftlichen großen warmen Sälen, unter Aufsicht eigner Meister.

Die alten ganz unfähigen und bettlägrigen Kranken sind an verschiedenen Orten in ungleicher Anzahl vertheilt, wobei jedes Local gewisse Vorzüge behauptet. Für unheilbare und epileptische Personen befindet sich ein eigner Krankenhof vor dem Mühlenthore.

Unter den Verbrechern müssen die schuldigsten raspeln. Sie sind angeschlossen, und müssen ihre Blöcke an Ketten selbst tragen. Die Weibspersonen müssen gemeinschaftlich unter Aufsicht arbeiten. Die ehemalige Erlaubniß, um Fastnacht sie sehen zu dürfen, ist des Mißbrauches wegen abgeschafft. Sehr zu loben ist die Reinlichkeit und menschliche Behandlung, deren auch die Verbrecher genießen, so daß Ulpians Ausspruch hier genau befolgt wird:

Carcer ad continendos, non ad puniendos haberi debet.

2.
Das eigentliche Waisenhaus in Lübeck.

Obgleich es an Pracht dem Hamburgischen nicht gleich kommt, so ist es doch sehr zweckmäßig eingerichtet. Es enthält in drei Stockwerken eine Menge geräumiger und immer gelüfteter Zimmer, zum Unterricht, zur Arbeit, zum Essen und Schlafen der Kinder, deren Anzahl sich jetzt auf 129 beläuft. Ihr Ansehen ist reinlich und gesund, und ihr Betragen sehr anständig, ihre Kleidung warm und sehr reinlich. Sie gehen sonntäglich und in der Woche mehrmahl aus zu den Ihrigen und vor das Thor von einem Lehrer begleitet. Zur Erholung und zum Spielplatz der Kinder dient ein großer Hof, zum Theil mit Bäumen bepflanzt.

3.

Die beiden Pesthöfe in Lübeck.

Sie dienten vormals zur Aufnahme von Pestkranken. Im Jahre 1597 wüthete die Pest in Lübeck so sehr, daß gegen 8000 Menschen plötzlich daran sterben, für welche damals auch ein eigner Kirchhof angelegt wurde. Jetzt sind beide Pesthöfe zur Aufnahme der mit ansteckenden Seuchen überhaupt Behafteten bestimmt.

4.

Das Criminalgefängniß zu Bützow in Mecklenburg = Schwerin.

Durch die Errichtung des Criminalcollegii (1812), welches alle Kriminalinquisitionen in gröberen Verbrechen führet, wurden auch besondere Criminalgefängnisse von einem beträchtlichen Umfange nothwendig. Es wurde dazu das alte fürstliche Schloß in Bützow angewiesen, und es läßt sich nicht leugnen, daß dasselbe zu dem gedachten Werk sehr brauchbar war, theils wegen seiner dicken Mauern und seiner Höhe, theils wegen seiner Lage, welche es möglich macht, mit nicht gar großen Kosten solche Einrichtungen zu treffen, daß es dem auch würklich aus dem Gefängnisse selbst Entkommenen sehr schwer werden würde, seine Flucht fortzusetzen. Die innere Einrichtung des ganzen Gebäudes macht das Entweichen übrigens, schon sehr schwierig, und bis jetzt weiß man erst einen Fall, wo es zwei Verbrechern gelang zu entkommen, die aber durch die Thätigkeit der Gensdarmen bald wieder eingeholt wurden. Die Anstalt verdient übrigens ihrer zweckmäßigen Einrichtung und der zwar nothwendig strengen, aber doch dabei menschlichen Behandlung der Gefangenen wegen, hier näher geschildert zu werden.

Das Gebäude ist drei Stockwerke hoch und ganz massiv. Die Mauern habe eine sehr beträchtliche Dicke, und, wie die Mauern alter in frühern Jahrhunderten erbaueter Schlösser und Kirchen, eine außerordentliche Festigkeit. In dem untern Stocke befindet sich ein Sessionszimmer des Collegiums, drei Wohnungen für Gefangenwärter, und ein Gewölbe zur Aufbewahrung von mancherlei Sachen. Im zweiten Stocke sind zwei Sessionszimmer, eine Wohnung für einen Gefangen= wärter, einige Gemächer zur Aufbewahrung von Sachen und eilf Gefängnisse. Im dritten Stocke sind drei und zwanzig Gefängnisse und geräumige Stuben, die beson= ders für weibliche Gefangene bestimmt sind. Auch auf dem Boden unter dem Dache sind zwei Gefängnisse an= gebracht, die aber nur zur Sommerszeit benutzt werden.

Einige der Gefängnisse sind kleiner, andere größer, nach Beschaffenheit des Raums, der dazu vorhanden war; ihre Höhe beträgt zehn, auch eilf Fuß. Nur ein Theil derselben stößt an die äußere Wand, die mehrsten sind der größeren Sicherheit wegen, einige Fuß davon entfernt, doch sind in der entgegenstehenden äußern Wand, so wie in sämmtlichen Gefängnissen Fenster an= gebracht, durch welche frische Luft in reichlicher Maaße zugelassen werden kann. In den Gängen zwischen der äußern Wand des Gebäudes und den Gefängnissen hal= ten sich stets Wächter auf, welche die Gefangenen be= lauschen und beobachten können, so daß es, wenn jene Leute stets vigilant sind, fast unmöglich ist, aus dem Gefängnisse zu entwischen.

Oefen zum Erwärmen befinden sich in den Stuben der weiblichen Gefangenen; die übrigen Gefängnisse und zwar im zweiten Stocke, werden durch außerhalb der= selben, in geschlossenen Abtheilungen stehende Oefen, welche ihre Hitze durch die über den Gefängnißthurm an= gebrachten, mit eisernen Stäben versehenen Oeffnungen verbreiten, erwärmt; die im dritten Stocke aber durch Oeffnungen in der Decke, durch welche eiserne Röhren aus den unten stehenden Oefen gehen.

Die männlichen Gefangenen müssen bei ihrer An= kunft ihre Kleidung ablegen, und bekommen die einge= führte Gefangenkleidung, welche aus Rock, Jacke und

Hose, nebst Mütze, von wollenem Zeuge', und aus höl=
zernen Pantoffeln besteht. Gewöhnlich wird ihnen an
einen Fuß eine Schelle mit einer Kette angelegt, wovon
das andere Ende durch die Thürpfosten des Gefängnisses
wird, um außerhalb das Schloß vorzulegen. Diese
Kette ist hinreichend so lang, daß der Gefangene in sei=
nem Gemache hin= und hergehen kann. In der Regel
sitzt nur eine Person in einem Behältnisse; nur die
Menge macht es erforderlich, daß auch zwei Mannsper=
sonen, Weibspersonen hingegen auf den geräumigen
Stuben noch mehrere, zusammengesetzt werden. Jetzt
befinden sich gegen 60 Verbrecher in dem Gefängnisse,
unter welchen mehrere Capitalverbrecher sind. Sehr
groß ist besonders die Anzahl der Kindermörderinnen,
die seit Errichtung dieser Anstalt zur Inquisition ge=
kommen sind. Daß über manche derselben kein schwere=
res Gericht verhängt worden, lag hauptsächlich in den
schwankenden, häufig ganz unbrauchbaren Obductions=
berichten.

Wer ähnliche Anstalten gesehen hat, dem muß die
musterhafte Reinlichkeit, die man in dem Bützowschen
Criminalgefängnisse findet, auffallen. Die Fußböden
sind so gut gescheuert, wie man es in reinlichen Privat=
häusern findet; nirgends spürt man den Kerkergeruch,
der zuweilen schon beim Eintritt in solche Gebäude be=
merkt wird; allenthalben leuchtet dabei die größte Ord=
nung hervor. — Wöchentlich wechseln die Gefangenen
die Hemden und Strümpfe, eben so oft wird der Bart
abgenommen, und von Zeit zu Zeit das Kopfhaar be=
schnitten. Man wird nicht leicht einen Gefangenen fin=
den, der durch sein Aeußeres (die Physiognomie abge=
rechnet) den Widerwillen einflößte, den ich bei Erblik=
kung der Züchtlinge in so manchen gepriesenen ausländi=
schen Gefängnissen empfand.

Das Lager sämmtlicher Gefangenen besteht aus
einem dick gestopften Heusäcke, der am Fußboden liegt,

einem gestopften Sacke zum Kopfkissen, und einer wollenen Decke. (Zum Stopfen der Säcke wäre wohl das wohlfeil zu habende, gut ausgeklopfte Moos zu empfehlen.)

Zur Nahrung ist bestimmt für jeden Gefangenen täglich anderthalb Pfund Brod, Morgens für 6 Pfennige Branntwein, oder Zichorien = Kaffee für die Weiber; Mittags warme Speise, wovon Kartoffeln den Hauptbestandtheil ausmachen, und wozu wöchentlich Jedem zweimahl ¼ Pfund frisches Fleisch gegeben wird. Abends dient der Rest des Brodes. Einen Topf mit frischem Wasser hat überdem Jeder bei sich. Für besondere Fälle wird besondere Anordnung getroffen, wohin auch die Verpflegung der Kranken nach der Vorschrift des Arztes gehört. Mehrere, die an das Tabakkauen gewohnt sind, wird dazu etwas Tabak von Zeit zu Zeit gereicht.

III.

Bemerkungen

zu den

Schwedisch-Pommerschen und Rügianischen Bevölkerungs- Geburts- und Sterbe-Listen,

vom Jahre 1781—1815.

(Mit 2 Tabellen.)

Von dem Professor Masius zu Rostock. *)

Vorerinnerung.

Die Bevölkerungs- Geburts- und Sterbelisten wurden in Schwedisch-Pommern und Rügen erst mit dem Anfange der Jahre achtzig des vorigen Jahrhunderts eingeführt, und zugleich dem Physicus befohlen, über die epidemischen und ansteckenden Krankheiten jedes abgewichenen Jahres mit dem Schlusse desselben zu berichten. Mit Ausnahme der Jahre 1784, 1785, 1794, 1801 und 1802, sind jene Listen auch bis zum J. 1805 ziemlich vollständig vorhanden; und wenigstens sind daraus die Fortschritte der Population, das Verhältniß der Gebornen zu den Gestorbenen zu ersehen: wenn sie gleich auch in dieser Hinsicht noch Manches zu wünschen übrig lassen. Zwar wurden seit dem J. 1802 die Listen nach einem andern Schema gefertigt; ausgenommen aber, daß in denselben die Verheiratheten und Unverheiratheten von einander getrennt, und dann die Einwohner nach den Jahren (von

---

*) Die beinahe 40jährigen Bevölkerungs- Geburts- und Sterbelisten des Großherzogthums Mecklenburg-Schwerin sollen in dem nächsten Jahrgange folgen.

40

Tabelle,

die Volksmenge, die Zahl der Gebornen und Gestorbenen in den Schwedisch-Pommerschen Städten, vom Jahre 1780 bis zum Jahr 1813 betreffend.

	Stralsund			Greifswald		Wolgast			Barth			Grimmen			Loitz			Tribsees		Damgarten		Richtenberg		Lassahn		Gützkow	Bergen		Garz		Franzburg	
Jhr.	Population	Geborne	Gestorbene	Population	Geborne	Population	Geborne	Gestorbene	Population	Geborne	Gestorbene	Population	Geborne	Gestorbene	Population	Geborne	Gestorbene	Population	Geborne	Population	Geborne	Population	Geborne	Population	Geborne	Geborne	Population	Geborne	Population	Geborne	Population	Gestorben

(Zahlentabelle – die einzelnen Jahreswerte von 1780 bis 1813 sind wegen des Zustands der Vorlage nur teilweise lesbar.)

Anmerkungen.

1) Da, wo in den Columnen die Zahl fehlt, ist bey der Summirung immer die Mehrzahl eines ganzen Decenniums angenommen.

2) Bey der Angabe der Population der Stadt Stralsund vom Jahre 1809 ist die Garnison mit einbegriffen. Wahrscheinlich ist dieses auch bey dem Jahre 1813 der Fall; indem bey der großen Mortalität des J. 1811, die Bevölkerung wohl schwerlich ein Plus von 262 gewinnen konnte.

M.

—15, von 15—25 u. f. w.) angegeben wurden, so ist keine
wesentliche Veränderung, durch welche ihr Nutzen erhöhet
worden wäre, mit ihnen vorgegangen: man mögte denn die
Separation der Leibeignen (!!) von den Freien dafür
gelten lassen wollen.

Vom Jahre 1804 bis zum Jahre 1810 sind die Listen so
äußerst unvollständig vorhanden, daß sich, trotz der Bemühungen des Herrn Leibmedicus, Ritters von Haken, nicht einmahl die Summe der Volkszahl in den Städten, von den
genannten Jahren angeben läßt. Die Besitznahme des Landes
durch die Franzosen, und die damit verbundene Veränderung
der innern Administration, machte eine Fortsetzung der bisherigen Ordnung in pflichtmäßiger Einsendung der Tabellen von
den resp. Behörden sehr schwierig, und die fremden Regierer
bekümmerten sich um einen Gegenstand sehr wenig, der direct
wenigstens ihre Beutel nicht füllen konnte. Eben diese Occupation verhinderte es auch, daß im Jahre 1807 die Einrichtung
der Listen nach einem neuen Schema, nicht realisirt werden
konnte.

Erst im J. 1809 wurden von der damaligen Gouverne-
ments-Commission, und im J. 1810 von der Regierungs-
commission ordentliche Volkstabellen wieder eingefordert, womit von der Zeit an auch regelmäßig fortgefahren ist.

Daß ich, als Ausländer, nicht im Stande war, die folgen-
enden Notizen ohne Unterstützung eines sachkundigen Man-
nes zu liefern, ist wohl sehr natürlich. Mit freundschaftlicher
Bereitwilligkeit hat mein verewigter Freund, der Leibmedicus,
Ritter v. Haken, seine schätzbare und mit bewundernswür-
digem Fleiße verfertigte Sammlung von Nachrichten, die Bevölkerung und den Gesundheitszustand des vormaligen Schwe-
disch-Pommerns und Rügens betreffend, mir mitgetheilt,
und nur dadurch ist es mir möglich geworden, die nachste-
hende, dem Innländer wahrscheinlich sehr angenehme, aber
auch selbst dem Ausländer nicht ganz uninteressante Uebersicht
geben zu können.

M.

1. Bevölkerung.

Die Totalsumme der Einwohner der vormaligen
schwedischen Provinz Pommern und Rügen belief sich
mit dem Schlusse des Jahres 1813 auf 117272.
Nimmt man nun die geographische Größe dieser Provinz
zu 66 [] Meilen an, so kommen auf jede [] Meile
1770 Seelen.

Der reine Gewinn für die Bev
dem Zeitraume von 3 Jahren 16722
Jahren 1782, 1794, 1802 und 18
Minus in der Bevölkerung gegen die
genen Jahres, wovon die Ursachen a
sich ergeben werden.

Während aller 33 verflossenen J
Anzahl des weiblichen Geschlechts imm
höher, als die des männlichen Ges
Volkszählung richtig, so überstieg beir
1813 die Summe der weiblichen J
männlichen um 5540.

Von jener Totalsumme (117272)
die Städte, und 78361 auf das plat
gewann in dem angegebenen Zeitrau
8417 Seelen.

Unter den Städten gewann Stral
niß seiner Bevölkerung gegen die ander
im J. 1780) eine geringere Menscher
irgend eine der übrigen Städte, u
vielleicht in häufigen Emigrationen z
bösartigen Epidemien, bekannten
und in andere aus der Localität entsp
liegen möchte. In den Jahren 1795
1806 und 1807 hatte die Bevölkerung
deutend abgenommen, und überstieg i
zahl vom J. 1780 nur um wenige H
dem J. 1809 und 1811 finden wir w
von 12000 in den Populationslisten.

Dagegen hat die Bevölkerung Gr
halb jener 33 Jahre bedeutend zugen
trug im J. 1780 — 4987, im J. 181
also einen Zuwachs von 1712 Seelen
Barth 455, Grimmen 380, Loitz 47
Dammgarten 223, Richtenberg 310,
Lassahn 287, Gützkow 260, Bergen 5

Besonders ersprießlich für die mens
zeigten sich die Jahre 1799 und 1804,

Anzahl der Gebornen die der Gestorbenen um 1700 überstieg.

2. Geburten.

Beinahe in allen Jahren wurden mehr Knaben als Mädchen geboren; nach einem Durchschnitt von 10 Jahren betrug das Plus der männlichen Geburten während dieses Zeitraums 1660. Das Uebergewicht der Gestorbenen war nach den Jahren bald auf die eine, bald auf die andere Seite. In zehn Jahren verlohr aber das männliche Geschlecht immer 200 mehr, als das weibliche, womit jedoch das Plus der männlichen Geburten nicht ausgeglichen wird, so daß der Ueberschuß von 4000 in der weiblichen Bevölkerung allerdings etwas auffallend ist.

Die Nachrichten von den unehelichen Geburten gehen nur bis zum J. 1800, diese betrugen aber im zuletzt genannten Jahre schon 79 mehr, als im J. 1780; unter 17 Kindern befand sich ein außer der Ehe erzeugtes, und 3674 blieben das Resultat gesetzlicher Procreation. Daß die Anzahl der Kinder der verbotenen Frucht in den letztern Jahren sich noch viel höher beläuft, kann man bei der zugenommenen Sittenlosigkeit, selbst in den untern Volksclassen, als ausgemacht annehmen. Daß in Stralsund, einer Handelsstadt und vormals mit Militair angefüllt, die Anzahl der unehelichen Geburten, verhältnißmäßig sehr groß war, wird nicht befremden.

Die Zwillings= oder Drillingsgeburten sind aber so wenig, als die Todtgebohrnen, in den Listen angegeben. Die Aufführung der letztern wäre doch sehr wichtig.

3. Todte.

Wie unvollständig die Todtenlisten sind, und wie wenig Schlüsse sie erlauben, ergiebt sich aus einer leichten Ansicht derselben.

Nur in einem einzigen Jahre (1795) überstieg die Summe der Todten die der Gebornen. Gedachtes Jahr zeichnete sich aber auch durch mehrere sehr bösartige

Krankheiten aus. Beinahe im ganzen Lande herrschen Scharlachfriesel, der sowohl an sich als durch die sehr leicht nachfolgende Wassersucht, eine sehr große Anzahl von Erwachsenen und Kindern tödtete, entzündliche Gallenfieber, Keichhusten. Mehrere Aerzte erinnerten sich nicht, jemals so viele entzündliche Krankheiten gesehen zu haben, als in dem gedachten Jahre.

Nächst dem Jahre 1795 zeichneten sich die Jahre 1782, 1787, 1790, 1800, 1811 und 1812 durch große Sterblichkeit aus. Im J. 1782 wurde dieselbe hauptsächlich durch Influenza, Scharlachfieber und faulgallichte Fieber veranlaßt. Erstere hatte bei den mehrsten einen catarrhalisch = rheumatischen Charakter, nahm aber doch mitunter auch die Natur eines inflammatorischen, oder faulgallichten oder schleichenden Nervenfiebers an. Die Krankheit dauerte gewöhnlich 7 Tage, seltner 14 Tage bis 3 Wochen. Alten war sie sehr gefährlich, und wenn sie die faulgallichten Charakter hatte leicht tödtlich. In Stralsund war die Sterblichkeit an dieser Epidemie sehr beträchtlich. — Das Jahr 1787 war sehr reich an Krankheiten; die Witterung bis zum May sehr veränderlich, regnicht, stürmisch, mitunter sehr kalt, im Sommer warme Tage mit kalten abwechselnd. Sehr allgemein herrschten Lungenentzündungen, Schleimfieber, gallichte Durchfälle, convulsivischer, dem Keichhusten ähnlicher Husten, der ansteckend zu seyn schien, bei einigen schleunig tödtlich, immer aber sehr hartnäckig war. Viele starben am Schlagfluß, Auszehrung und Wassersucht, aber den größten Antheil an der großen Sterblichkeit hatten die Kinderblattern. Stralsund hatte wieder 60 Todte mehr, als Geborne.

Ungemein häufig und tödtlich herrschte im J. 1793 in Greifswald ein Fieber, welches aus einem intermittirenden Tertianfieber und einem anhaltend remittirenden Quotidianfieber bestand. Es zeichnete sich insbesondere durch heftiges Kopfweh und Betäubung, welche Zufälle das Fieber stets begleiteten, und endlich in Delirien und eine Art von Wahnwitz übergingen, wobei die Kranken

manchmahl, nach ihrer eigenen Versicherung und auch
dem äußern Anscheine nach, ihrer Sinne völlig mächtig,
auf eine seltene Art raseten und irre redeten. Der kür=
zeste Verlauf dieses Fiebers war drei Wochen, der ge=
wöhnliche fünf bis sechs Wochen; oft nahm es aber
auch die Gestalt eines schleichenden Fiebers an.

Die vorzüglich tödtlichen Krankheiten des Jahres
1800 waren Scharlachfriesel, ächte Pleuresien, Nerven=
fieber, Blattern.

Im J. 1804 kamen die mehrsten Todten auf Rech=
nung des Nervenfiebers, welches besonders in Stralsund
und Greifswald unter den geringern Volksklassen große
Verheerungen anrichtete. Es war ansteckend, und hatte
mit dem von Horn beschriebenen Typhus große Aehnlich=
keit; außer daß der Puls meistens sehr schwach und mäßig
schnell war, und die Arterie sich gleichsam leer fühlte.
(Die reizende Methode war am würksamsten.)

Die große Sterblichkeit in Stralsund im J. 1806
wurde durch sehr bösartige Nervenfieber und Kinder=
pocken, im J. 1807 in Wolgast ebenfalls durch die letz=
tern und durch die Ruhr, und 1808 in Greifswald durch
Scharlachfriesel, Pocken und Nervenfieber verursacht.
Es läßt sich überhaupt denken, daß im J. 1807 und
1808 in Pommern die Sterblichkeit sehr bedeutend ge=
wesen seyn muß, da das Ländchen durch ein großes
Heer, und nachherige starke Besatzungen und große Laza=
rethe sehr hart mitgenommen wurde.

In Wolgast war besonders im J. 1809 die Sterb=
lich sehr überwiegend. Kein Wunder, daß bei dem fort=
während harten Druck, den großen Abgaben, der ge=
störten Seehandlung und der trüben Aussicht in die Zu=
kunft, endlich Mißmuth und Kummer der Gemüther
sich bemächtigte und ein gefährliches Nervenfieber ziem=
lich allgemein wurde. Dazu kamen nun noch sehr bös=
artige Kinderpocken und die Ruhr, so daß die Summe
der Gestorbenen die der Gebornen um 73 (sehr viel für
die damalige Volkszahl von 2910) überstieg.

Ungemein viele Krankheiten herrschten während des

3

Laufes des J. 1811 in Stralsund; besonders aber erlitt die Bevölkerung durch sehr bösartige und schnell tödtliche Scharlachfieber, rheumatische Fieber mit Pleuresie, remittirende Gallen= und Schleimfieber, die mitunter einen nervösen Charakter hatten, ein Deficit von 163. Im J. 1812 wurden zwar bei weitem nicht so viele epidemische Krankheiten in Stralsund bemerkt; aber dennoch überstieg die Zahl der Gestorbenen die der Gebornen wieder um 72.

Unter den schnell verlaufenden Krankheiten scheinen vorzüglich folgende den Einwohnern Pommerns sehr gefährlich zu seyn. Pleuresie und Pneumonie, eranthematische Fieber, entzündlich=gallichte Fieber, Ruhr; unter den langsamer verlaufenden Krankheiten kommen Schwindsucht und Wassersucht am häufigsten vor, und werden von den Aerzten als die tödtlichsten angegeben.

Die Kinderblattern müssen bis zur allgemeinen Einführung der Kuhpockenimpfung dem Lande alljährlich viele Menschen gekostet haben, denn sie hielten sich während eines Zeitraums von 26 Jahren beinahe als eine stehende Krankheit. Die erste Epidemie war von kürzerer Dauer; sie erschien im November d. J. 1781, und hatte in Pommern selbst schon in der Mitte des J. 1783, in Rügen gegen Ende des J. 1784 wieder aufgehört. In letzterer Provinz war sie in hohem Grade bösartig gewesen. Die zweite Epidemie fing im Julius 1786 in Stralsund, Wolgast, Greifswald und Barth nach voraufgegangenen Windpocken an, verbreitete sich bald über das ganze Land, und wenn sie auch einen oder andern Ort auf kurze Zeit verließ, so erschien sie doch bald wieder von Neuem, bis ihr endlich durch die Kuhpockenimpfung ein Ziel gesetzt wurde. Die Krankheit war wiederhohlt an vielen Orten so bösartig, daß an manchen Orten das achte, neunte, an andern das fünfte und sechste Kind getödtet wurde. Als Schutzmittel wandte man zuerst die Menschenblatternimpfung in Stralsund im August 1782, in Greifswald, wie es nach dem Berichte des seel. Archiaters Rehfeld scheinet, nicht vor dem J. 1792 an; ob sie in der Folge allgemeiner angewandt worden, erhellet aus den ärztlichen Berichten keinesweges. Desto bessern Eingang fand die Kuhpockenimpfung, welche im J. 1801, zuerst den 25sten März von dem Archiater v. Haselberg, und darauf den 11ten Mai von dem Herausgeber dieser Jahresschrift, in dem damaligen Schwedischen Pommern angewandt wurde.

Nächst den Blattern war das Scharlachfieber der Bevölkerung sehr nachtheilig. Es herrschte vorzüglich in den Jahren 1787—1792, dann wieder von 1795—1799, von 1801—1806, und war in manchen Jahren in einem so hohen Grade bösartig, daß an vielen Orten mehr als der dritte Theil aller Gestorbenen auf seine Rechnung kam.

So häufig in allen 33 Jahren auch die Masern erschienen (es vergieng beinahe kein Jahr, wo sie nicht hie und da im Lande wären beobachtet worden), so geringe muß doch die Anzahl derjenigen gewesen seyn, die von ihnen getödtet wurden. Die Berichte der Aerzte schildern die mehrsten Epidemien dieser Art als sehr gelinde, und selten tödtlich.

Faulartige Fieber waren während des ganzen Zeitraums von 33 Jahren eine höchst seltene Erscheinung. Einmahl, im J. 1798, beobachtete der Herausgeber in den an der Trebel gelegenen Dörfern eine solche höchst bösartige Epidemie, zu deren Unterdrückung sich derselbe schon damals der G. Morveauschen Räucherungen bediente.

Die intermittirenden Fieber hielten ihre Perioden von 3, 4 bis 5 Jahren, und verschwanden alsdann wieder mehrere Jahre, während welcher, wie es nach den ärztlichen Berichten scheinet, häufigere Ausschlags-Krankheiten ihre Stelle vertraten. Der dreitägige Typus war der häufigste, der alltägliche der seltenste.

3*

Von der häutigen Bräune sind gar keine Fälle angegeben, obgleich es nicht zu glauben ist, daß das Land, dessen climatische Beschaffenheit von der des Großherzogthums Mecklenburg = Schwerin so wenig verschieden ist, von dieser uns mit jedem Jahre schreckensvoller werdenden Kinderkrankheit gänzlich verschont geblieben seyn sollte.

Für die jüngern menschlichen Individuen schien insbesondere ein dem Keichhusten ähnlicher, convulsivischer Husten (nach einigen Krampfhusten) sehr gefährlich zu seyn und leicht tödtlich zu werden, es sind indessen die charakteristischen Merkmahle desselben nicht angegeben. Daß der Keichhusten beinahe jeden Winter in Pommern epidemisch vorkommt, ist dem Herausgeber auch aus eigner Erfahrung bekannt.

IV.

Der thierische Magnetismus.

Zur
Berichtigung der Urtheile über denselben;

von

dem Professor Masius.

***

Seit etwa 6 Jahren fängt der thierische Magnetismus wieder an, in Deutschland eine Rolle zu spielen, und fast aller Orten treten Magnetiseurs mit Manipulationen, Bacquets, magnetisirten Bäumen, Gläsern u. s. w. auf; aus der Nähe und Ferne, wo dieses Wesen getrieben wird, erschallen magnetische Wunder, die den Unkundigen in Staunen versetzen. Aerzte geben diese Wunder zu, predigen laut zu Gunsten der Anwendung des thierischen Magnetismus in allen möglichen Krankheiten, erzählen die glücklichsten Curen durch denselben, und sehen bald ihre magnetischen Batterien zahlreich besetzt, unter magnetisirten Bäumen glänzende Versammlungen den Weltäther einsaugen. Höchst sonderbare Urtheile gehen über diesen Gegenstand im Publikum herum. Einige halten alle Erscheinungen des thierischen Magnetismus für Betrug, und sehen in demselben einen gefährlichen Feind der Moralität; andere glauben Alles blind, was in Kluge's Schrift über den thierischen Magnetismus steht; nur wenige gehen die Mittelstraße, indem sie annehmen, daß doch wohl Etwas an den sogenannten thierisch = magnetischen Erscheinungen wahr seyn mögte. Es ist würklich Zeit, diesen Gegenstand einmahl in einer auch von Nichtärzten gelesenen Schrift zur Sprache zu bringen, und ich thue dieses um so lieber, da ich hiezu vielfältig aufgefordert worden bin. Meine Absicht geht besonders dahin: 1.) die Unkundigen über die Erscheinungen des thierischen Magnetismus zu belehren; 2.) das Wahre dieser Erscheinungen von dem Falschen und Mährchenhaften zu unterscheiden; 3.) die jüngern Aerzte auf die möglich sehr nachtheiligen und selbst lebensgefährlichen Würkungen des thierischen Magnetismus, daher auf seine höchst vorsichtige Anwendung, aufmerksam zu machen.

Ich werde mich auch über diesen Gegenstand mit derselben Freimüthigkeit äußern, die man in jedem Jahrgange dieses Kalenders bemerkt haben wird, wenn ich genöthiget war, über dem Wohle meiner Mitmenschen wichtige Angelegenheiten zu sprechen. Also zur Sache!—

Der thierische Magnetismus ist eine Entdeckung neuerer Zeiten. Zwar haben einige zu feurige Anhänger und Lobredner desselben ihn schon in dem grauen Alterthume finden wollen, und behauptet, daß die Orakelsprüche der Pythia nichts anders gewesen seyen, als bloße Folgen eines in höchster Vollkommenheit entwickelten magnetischen Zustandes; daß eben durch denselben die ägyptischen Priester in dem Tempel des Serapis Kranke geheilt hätten; daß das Auflegen der Hände, wodurch wailand Europäische Könige angeblich Kröpfe heilen konnten, eine Art von thierisch=magnetischer Prozedur, ja daß das Mädchen von Orleans eine Clairvoyante gewesen sey. Welcher Unbefangene wird aber wohl in solche Deutungen mit einstimmen! Anton Meßmer war derjenige, der uns mit den thierisch=magnetischen Erscheinungen zuerst bekannt machte, und ist als der Entdecker derselben anzusehen. Die Geschichte seiner Entdeckung und der unerhörten Charlatanerie und Beutelschneiderei, welche er damit in Frankreich trieb, findet sich in Hufelands gemeinnützigen Aufs. B. 1. N. 1. Welches Schicksal der thierische Magnetismus hatte, daß er bald gänzlich vergessen wurde, das ist als bekannt vorauszusetzen.

Worin das Wesen des thierischen Magnetismus eigentlich bestehe, das weiß bis jetzt kein Mensch, obgleich viele sich das Ansehen geben, als wenn sie in dieses Geheimniß lange tief eingedrungen wären. Wir wollen uns hier nicht bei diesen Hypothesen aufhalten, sondern sogleich zu denjenigen Erscheinungen, welche bei magnetisirten Personen würklich wahrgenommen werden, übergehen, und darauf die magnetischen Mährchen erzählen.

Zur Hervorbringung der Erscheinungen des thierischen Magnetismus gehören nothwendig zwei Personen: eine thätige, magnetisirende (der Magnetiseur), und eine leidende, die Magnetisirte. Das erstere Subject hat man auch den Neurander, das andere die Neurogyne, den Zustand, den jener bey dieser hervorbringt, Neurogamie (Vermählung zweier Nervensysteme) genannt.

1. Der Magnetiseur. Man behauptet, er müsse, in Bezug auf die Neurogyne, ein stärkeres, jedoch leicht bewegliches Nervensystem besitzen; Erschöpfung, Kraftlosigkeit mache ihn eben so unfähig zur thierisch = magnetischen Einwürkung, als Mangel an Lebhaftigkeit und Reizbarkeit. Er müßte ferner noch in den Jahren eines regen und thätigen Lebens sich befinden; ruhig und mit Selbstvertrauen zu seiner Unternehmung schreiten, ohne Ableitung des Geistes auf das Erkennen anderer Gegenstände, und ohne Ableitung des Gemüthes durch Affecte; Aufmerksamkeit und Wille müssen stets und einzig auf die Neurogyne gerichtet seyn, jedoch müßte er nicht mit einer glühenden Phantasie im Beschauen auf dieselbe schwelgen, und sich mit sinnlichen Begehren auf sie figiren. Nach einer lange fortgesetzten und würksamen Behandlung soll der Magnetiseur Kraftverlust empfinden.

(Ob würklich jene Eigenschaften so durchaus noth=
wendig seyen, daß ohne dieselben keine magnetische
Würkungen erfolgen, ist sehr zu bezweifeln. Wenig=
stens sagt die Erfahrung, daß auch Aerzte mit einem
sehr hohen Grade von Reizbarkeit und Empfänglichkeit,
mit einem schwachen und kränklichen Körper, deren
Selbstvertrauen, lebendiger Glaube und Wille gar so
groß nicht waren, um die angebliche Herrschergewalt
über den Kranken zu erhalten, dennoch auf andere Indi=
viduen so einwürken konnten, daß sogar der magnetische
Schlaf erfolgte.

Was die vorgebliche Schwächung der Lebenskräfte
des Magnetiseurs betrifft, so zweifeln daran wieder viele
Aerzte, die Gelegenheit hatten, mehrere Magnetiseurs
Jahrelang zu beobachten; und selbst viele der Letztern
versichern ehrlich genug, daß sie gar keinen Verlust an
Kräften fühlten, wohl aber alsdann eine momentane
Abspannung, wenn sie Stunden lang ihre Kunst ausge=
übt hätten; so wie wir uns abgespannt fühlen, wenn
wir viele Kranke, besonders solche, mit denen wir uns
lange unterhalten mußten, besucht haben. Dagegen
klagen manche gar jämmerlich, daß sie auffallend an
Kräften, wie an Fleisch abnähmen, an Verdauungs=
übeln litten, u. s. w. Sonderbar genug, daß andere
Menschen dieses an solchen Magnetiseurs nicht wahr=
nehmen können, vielmehr ihr ganzes Aeußere, ihre
Handlungen, ihr Appetit, eine sehr feste Gesundheit
und einen guten Vorrath von Kräften verräth.)

2. Die Magnetisirte oder Neurogyne.
Nicht alle Individuen, der Erfahrung zufolge nur sehr
wenige, besitzen Empfänglichkeit für den thierischen
Magnetismus. Ein sich dazu qualifizirendes Subject
muß reizbar und empfänglich seyn: daher bei Frauen=
zimmern am leichtesten thierisch = magnetische Erschei=
nungen erfolgen, am meisten, wenn sie an kränklicher
Reizbarkeit, an Hysterie leiden, oder wenn ihr periodi=
scher Blutfluß einzutreten anfängt. Ein solches Subject
muß aber, wie man versichert, außerdem ruhig, ohne

lebhafte Vorstellungen und Gefühle, leidentlich die Ein=
würkung des Magnetiseurs aufnehmen, zu diesem Zu=
trauen haben, nicht widerstreben oder Besorgnisse haben,
sondern seinem Willen sich gänzlich überlassen. Durch
Wiederholung werde die Empfänglichkeit für neuroga=
mische Einwürkung erhöhet.

3. **Magnetische Behandlung.** Es ist
hier natürlich nicht der Ort, diese ausführlich mitzu=
theilen, und es wird auch genügen, kurz anzugeben,
wie der Magnetiseur bei der Manipulation ver=
fährt, und welcher anderer Mittel er sich außerdem noch
bedienet. Das Hauptsächlichste bei der Manipulation ist
Folgendes. *) Der Magnetiseur setzt die Fingerspitzen
auf die Stirn der Neurogyne auf, so daß sie sich berüh=
ren, fährt dann allmählich über Hals, Schultern,
Arme, Hände und Daumen herab, und setzt endlich die
Spitzen seiner Daumen auf die Daumenspitzen der Neu=
rogyne; dann fährt er mit den Händen in einem großen
Bogen und in möglichster Entfernung von der Neuro=
gyne zurück, setzt die Fingerspitzen auf ihre Herzgrube
auf, fährt über den Unterleib und die Füße bis auf die
Fußzehen herab, kehrt sodann wieder in einem großen
Bogen zurück, setzt die Fingerspitzen in der Nabelgegend
auf, und führt sie wieder bis zu den Fußzehen. Dieses
Streichen, wobei mehrere Magnetiseurs sich manche un=
wesentliche Abweichungen erlauben, wiederholt man so
lange, bis magnetische Erscheinungen eintreten.

Man kann auch auf einzelne Organe würken, wenn
man die Finger mit einer zitternden Bewegung ihnen
nähert, oder auch sie darauf legt. Bey sehr empfindli=
chen Kranken muß der Magnetiseur sich in einer gewissen
Entfernung halten, und ohne würkliche Berührung auf
den Kranken würken, wozu aber eine größere Anstren=
gung des Willens erfordert werden soll.

*) Man hat hierüber so viel Unwahres verbreitet, daß es
zur Ehre der Magnetiseurs nothwendig war, ihr Verfah=
ren beim Magnetisiren hier anzugeben.

Außer diesen Manipulationsarten hat man noch drei, die aber nur in der Ferne ausführbar sind: 1) das Spargiren oder Besprengen, welches darin besteht, daß man die Fingerspitzen oftmals mit den Handtellern nähert, und sie dann jedesmahl wieder schnell in divergirender Richtung, mit einem gleichzeitigen Schwunge der ganzen Hand gegen den Kranken ausbreitet, gleichsam als wolle man ihn mit einer daran hängenden Flüßigkeit besprengen; 2) das Zusammendrücken; ein Verdrängen mit der etwas zurückgezogenen hohlen Hand, in einiger Entfernung von dem Kranken; 3) das Calmiren, Anwehen, Fächeln; indem man mehrere Mahl mit den flachen Händen und etwas zur Seite gekehrten Fingerspitzen in einer etwa 6 Zoll weiten Entfernung von dem Kranken mäßig schnell herabfährt, und hiedurch einen mäßigen Luftzug zu verursachen sucht.

Man soll aber auch noch auf andere Art magnetische Erscheinungen hervorbringen können: durch mit Festigkeit auf die Augen gerichtete Blicke, und — man höre! — durch bloßes Figiren der Gedanken des Magnetiseurs auf den entfernten Kranken. Hievon und von den angeblichen magnetischen Substituten wird noch die Rede seyn.

4. Erscheinungen an Magnetisirten. Manchmahl werden solche gar nicht bemerkt, obgleich nach der Versicherung mancher Magnetiseurs dennoch Besserung des Kranken erfolgt, die dem Magnetismus zugeschrieben werden müsse, weil bei zu früher Unterlassung der Anwendung desselben, wieder Verschlimmerung eintrete. *)

*) Ob dies wohl nicht gewöhnlich zufällig ist? Man weiß ja, wie oft bei Nervenübeln der Zustand sich verändert, bald Verschlimmerung ohne deutliche Ursache, bald Besserung ohne allen Arzeneigebrauch eintritt. Ich mögte eher behaupten, daß Menschen, bei denen nach wiederhohltem Magnetisiren gar keine Erscheinungen erfolgen, entweder

Erster Grad des thierisch-magnetischen Zustandes.

Gewöhnlich erst nach mehrmaliger magnetischer Ein-
wirkung beobachtet man: Erhöhung der Lebensthätig-
keit überhaupt, vermehrte Wärme, selbst bis zur Empfindung glühender Hitze an den berührten Stellen, zu
Zeiten auch ein Gefühl von Kälte; erhöhete Röthe der
Haut, lebhafteren Puls, schnellere und tiefere Respira-
tion, stärkere Verdauung. Schmerzen und Krämpfe
schwinden; Gähnen, Seufzen, ein Strecken der Glieder
folgt; es kommt zur Ermüdung, Eingenommenheit
des Kopfes, zum Verschließen der Augenlieder, oft
krampfhafter Art; endlich zu einem schlafähnlichen Zustande (von Einigen Halbschlaf genannt), mehrentheils
mit behaglichem, zuweilen auch mit unbehaglichem Gefühle. Kann dieser schlafähnliche Zustand nicht zu
Stande kommen, so brechen leicht Convulsionen jeder
Art aus, selbst bey vorher nicht dazu Geneigten. Oft
glauben die Magnetisirten, unter dem Bestreichen
oder Berühren Stöße zu erhalten, und zu fühlen, daß
etwas in sie übertritt, was sie selbst zu Zeiten als einen
Feuerstrom in leuchtenden Farben schildern, noch ehe sie
somnambul sind. Nicht selten vermögen sie nicht,
wenigstens nicht in einem gewissen Zeitraume, die verschlossenen Augenlieder selbst zu öfnen; aber eine bestimmte Art von Manipulation des Magnetiseurs bewirkt es bald, so wie dieser, wenn er der Handgriffe
kundig ist, es gewöhnlich in seiner Gewalt hat, die
magnetischen Erscheinungen nach Belieben zu endigen
und selbst wohl mannigfaltig zu leiten. Es erfolgen oft
sehr starke Schweiße, manchmahl Fieberbewegungen, die
sich zuweilen zu einem kalten Fieber ausbilden. Zu
Stuhlverhaltung Geneigte leiden nicht daran, sondern
bekommen täglich Leibesöfnung; die Regeln sollen sich

keine Receptivität für den thier. M. besitzen, oder daß
der Magnetiseur seine Sache nicht versteht, oder auf das
Individuum nicht magnetisch einwirken kann.

früher einstellen, und das krankhafte Ausbleiben dersel=
ben leicht gehoben werden. In der Höhe des magneti=
schen Zustandes dürfen andere Menschen, selbst die näch=
sten Verwandten, die Magnetisirte nicht berühren, zu
Zeiten sich ihr nicht einmahl nähern, ohne Leiden oder
Störungen zu veranlassen, wenn der Magnetiseur nicht
durch gleichzeitiges Anfassen derselben und der Kranken
eine gemeinschaftliche Verbindung bewirkt hat, was
„in Rapport setzen" heißt. Zuweilen sollen manche
Menschen, manche Metalle, selbst Ringe, Schlüssel
u. s. w., die der Magnetiseur an und bei sich trägt, eine
besonders widrige Würkung auf die Magnetisirten
haben; magnetisirtes Wasser sollen sie bestimmt zu un=
terscheiden wissen. Ist der magnetische Zustand schon
oft erregt und zu seiner vollen Entwickelung gekommen,
so sollen manche Stoffe, die der Magnetiseur an sich
getragen, betastet, bestrichen oder angehaucht hat, zu
Zeiten einige magnetische Erscheinungen hervorrufen
oder doch unterhalten, oder sonst wohlthätig einwürken,
z. B. den Schlaf befördern, sehr kalte Füße erwärmen,
u. dgl. m. Die magnetische Behandlung muß täglich zu
bestimmten Stunden vorgenommen, lange fortgesetzt *)
und immer kunstmäßig beschlossen worden. —

Daß die bisher angeführten Erscheinungen, durch
kürzere oder längere Zeit fortgesetztes Streichen oder
Berühren des einen Menschen von einem andern unter
Umständen würklich hervorgebracht werden können, läßt
sich schlechterdings nicht bezweifeln. Man hat dieses so
oft beobachtet, daß, wenn auch hie und da manche Erschei=
nung durch ein individuelles Nervenleiden hervorgebracht

---

*) Dahinter verbergen sich nur zu häufig die Magnetiseurs.
   Wenn sie nach Monaten noch gar keine magnetischen Er=
   scheinungen, nicht die mindeste Aenderung in dem Krank=
   heitszustnnde der Magnesirten wahrnehmen, so wird im=
   merfort zur Geduld und Ausdauer gerathen, dadurch
   aber gewiß oft ein Krankheitszustand so hartnäckig gemacht,
   daß andere Heilmittel, die früher vielleicht von Nutzen
   gewesen wären, in der Folge nichts mehr leisten.

oder hauptsächlich bestimmt worden seyn mag, manche Aussage der Magnetisirten, z. B. von dem besondern Geschmacke des magnetisirten Wassers, der Ringe, Uhren, Schlüssel u. s. w. des Magnetiseurs auf Einbildung beruhen, wenigstens sehr problematisch sind, sich doch im Allgemeinen die thierisch=magnetischen Erscheinungen nicht leugnen lassen. Diejenigen, besonders Aerzte, thun daher sehr Unrecht, welche die Möglichkeit und Wahrheit des magnetischen Zustandes überhaupt geradezu leugnen; sie handeln sehr Unrecht, wenn sie sich über die Anwendung des thier. M. satyrisch, hämisch äußern, von der Gefahr der magnetischen Operationen für die Moralität u. dgl. sprechen und dadurch häufig achtungswerthe Männer beleidigen. Mögen sie die Anwendung des thierischen M. selbst auch nicht billigen, mögen sie sich gegen die magnetischen Mährchen immerhin laut und stark erklären, so ist es doch äußerst tadelnswerth, wenn sie das, was hundert= und tausendfältig beobachtet, was selbst von Gegnern des thier. M. zugegeben ist, mit unverschämter Stirn für erdichtet erklären. Auffallend sind allerdings jene Erscheinungen in Vergleich mit der Würkung anderer Arzneimittel. Sie aber aus diesem Grunde, und weil Manches nicht sogleich zu erklären ist, ganz wegleugnen zu wollen, verräth große Einseitigkeit, Mangel an Ueberlegung, Inconsequenz. Denn wie viel müßten sie dann nicht in der Medizin wegdisputiren! Welche auffallende, keineswegs immer erklärbare Erscheinungen bemerken wir nicht an dem menschlichen Organismus! Auch sind die thierisch = magnetischen Erscheinungen des ersten Grades, wenigstens der größere Theil derselben, so sehr auffallend gar nicht für denjenigen, der die merkwürdigen Erscheinungen kennt, die während des Verlaufes großer Nervenkrankheiten, wo ähnliche Zustände, wie der magnetische, sogar der Schlaf vorkommen, dem aufmerksamen Beobachter sich darbieten. Es ist indessen hier nicht der Ort, dieses weiter zu verfolgen.

Eine Frage, die sich uns zunächst aufdringt, ist die:

Wodurch werden denn eigentlich die thierisch-magnetischen Erscheinungen hervorgebracht? Vernehmen wir
hierüber die Anhänger des thier. M., so hören wir, daß
es der Weltgeist, die Weltseele, der Alles durchströ-
mende und dasselbe verbindende Aether, das Lebensprin-
cip, von welchem unmittelbar oder mittelbar die
Functionen lebender Körper und selbst die Geistesäuße-
rungen abhängen, — daß es dieser unwägbare Stoff
sey, den sie regieren, aus sich zu ihren Magnetisirten
übergehen lassen, Theilen zuführen, denen er fehlt, von
Theilen abziehen, wo er im Uebermaaße vorhanden ist.
Den Beweis dieser seltsamen, an gewisse uralte Philo-
sophen erinnernden Behauptung hat noch Niemand versucht, und doch scheinen selbst aufgeklärte Köpfe von der
Existenz dieses Aethers so sehr überzeugt zu seyn, daß
derselbe in ihrer medizinischen Theorie eine sehr große
Rolle spielt. Allerdings muß man annehmen, daß
Etwas von dem Magnetiseur, indem er die Magnetisirte bestreicht, in diese übertritt. Darauf hätte man
doch aber längst fallen sollen, daß dieses Etwas kein für
die animalische Oeconomie des Magnetiseurs so wichtiger
Stoff, keine Nervenflüßigkeit, kein Lebensprinzip seyn
könne, weil sonst die Gesundheit derjenigen, die man
täglich 4—5 Stunden und länger magnetisiren sieht,
bedeutend geschwächt, zerrüttet werden müßte: welches
man doch, wie vorhin schon erwähnt worden, keinesweges bemerkt. Zum Beweise des Ausströmens eines
Stoffes von nicht geringer Bedeutung führen die Magnetiseurs besonders an, daß einige in den magnetischen
Schlaf gebrachte Personen ihre Magnetiseurs in Nebel
gehüllt, in Licht- und Feuergestalt gesehen hätten.
Wer will, wer kann aber Alles für wahr halten, was
die Somnambuls in ihren Träumen aussagen, was ihre
erhitzte Einbildungskraft ihnen in den Mund gibt? Daß
das Betasten und Bestreichen vermehrte Wärme, selbst
ein Brennen auf der Haut bei den Magnetisirten ver-
ursache, ist vorhin schon bemerkt worden. Leicht be-
greiflich ist es, daß dieses Brennen von manchen Mag-

netifirten, deren Empfindlichkeit sehr erhöhet, deren
Phantasie sehr gereizt und glühend ist, in dem magneti=
schen Traume so empfunden wird, als wenn es von
einem würklich feurigen Stoffe oder Lichtstoffe, der aus
dem Körper des Magnetiseurs heraustritt, verursacht
wird. Sehen können sie doch immer einen solchen Stoff
nicht, da ihre Augen geschlossen sind; aber sie empfinden
vorzüglich stark die Berührungen ihres Magnetiseurs,
den sie in ihrem Traume stets vor Augen haben: und
so wird ihn ihre aufgeregte Phantasie auch leicht mit
einem Heiligenschein umgeben, zumahl wenn sie darnach
gefragt werden.

Tritt also würklich Etwas aus dem Körper des
Magnetiseurs in die magnetisirte Person während der
Einwürkung auf diese über, so mag es vielleicht, wie
Herr Leibmedikus Stieglitz annimmt, *) die zum
Ausstoßen bereitete Ausdünstung, oder die frei gewor=
dene Wärme, vielleicht in irgend einer besondern Modi=
fication seyn. Diese den Mesmeristen gewiß sehr unan=
genehme Meinung hat in der That einen hohen Grad
von Wahrscheinlichkeit. Sie erklärt eine große Menge
von Erscheinungen, und da wir wissen, daß das aus der
Haut des Magnetiseurs Ausgestoßene für denselben von
keiner Bedeutung ist, so geht hieraus auch hervor, daß
der, welcher den Stoff von sich gibt, durch Verlust des=
selben nicht geschwächt werden könne.

Aber auch das mechanische Bestreichen scheinet hier
nicht übersehen werden zu müssen. Es gibt ja Men=
schen, die so reizbar und empfindlich sind, daß schon
manche Bewegungen mit der Hand gegen ihren Körper,
ohne denselben zu berühren, auffallende, manchmahl
angenehme, manchmahl aber auch sehr unangenehme
Gefühle hervorbringen. So kenne ich eine sehr reizbare
Frau, die von Bewegungen mit der Hand, als wenn
sie gekitzelt werden sollte, ohnmächtig wurde. Geschieht
nun das Bestreichen auf die vorhin angegebene Art,

*) Ueber d. thier. M. Hannover 1814.

werden dabei Herzgrube und Unterleib berühret, so muß
dieses auf sehr reizbare Nerven allerdings ganz eigen-
thümlich würken, und diese in einen sehr gereizten Zustand versetzen.

Indessen glaube ich durchaus nicht, daß die bloßen
Manipulationen zur Hervorbringung der magnetischen
Erscheinungen hinreichend sind, sondern es scheinet mir
vielmehr noch p s y c h i s c h e Einwürkung hinzukom-
men zu müssen. Die zu magnetisirende Person leidet gewöhnlich an großer, kränklicher Reizbarkeit des ganzen
empfindenden Systems. Sie entschließt sich zu dem
magnetischen Curversuch; der endliche Entschluß setzt
sie gewiß in eine besondere Seelenstimmung, denn sie
weiß, es wird eine nicht gewöhnliche Curmethode, durch
welche sie in ganz besondere Lagen gebracht werden kann,
mit ihr vorgenommen werden. Ihre Phantasie ist schon
beträchtlich aufgeregt, ehe es noch zur magnetischen Be-
handung kommt; sie recapitulirt Alles, was sie von
Magnetisirten und Somnambuls gehöret hat, ahndet
das Erscheinen ähnlicher Zustände bei sich, ist in der ge-
spanntesten Erwartung. Sie wird sicher nur d e n
Magnetiseur wählen, zu welchem sie sich besonders hin-
gezogen fühlt; sie sieht gewiß den Mann, der so frappante Erscheinungen hervorzurufen vermag, mit welchem
sie in eine — wie sich wohl die Mehrsten denken mögen
— höhere, geistige Verbindung treten soll, mit ganz
andern Augen an, als den gewöhnlichen Arzt. Jetzt
erscheint denn der Magnetiseur; er fixirt ihre Gedanken
auf die Absicht; er präparirt sie feierlich, und hat zu
diesem Zweck mehrere Unterredungen mit ihr, in welchen
er ihre Erwartungen immer höher spannt, sie sich immer
mehr nähert, sich ihr immer unentbehrlicher zu machen
weiß; und hiebei nimmt er sich mit einem gewissen
Ernst, mit Festigkeit, Ueberzeugung von der Wichtigkeit
und Kraft seiner magnetischen Kunst. Ist es zu bewun-
dern, wenn das äußerst reizbare, häufig exaltirte, zur
Schwärmerei aufgelegte weibliche Individuum durch
solche Einleitungen in einen solchen Zustand geräth, wo

Nervenreize eine ganz ausgezeichnete Würkung hervor=
bringen, so daß also das Berühren und Betasten von
dem Magnetiseur mächtig auf die Magnetisirte ein=
würkt, und daß diese Würkung sich immer mehr ver=
größert, je mehr selbige von ihr wahrgenommen wird,
je kräftiger dabey zugleich der Magnetiseur auf ihre Seele
einzuwürken vermag? Diese psychische Einwürkung thut
gewiß nicht Alles, wie Einige annehmen, aber sie thut
gewiß sehr Viel, und sie ist es vielleicht allein, wodurch,
bei einer besondern Stimmung der Nerven, die höhern
Grade des thier. M. hauptsächlich bestimmt werden.
Durch bloßes Betasten oder Bestreichen, o h n e a l l e
p s y c h i s c h e E i n w ü r k u n g, werden schwerlich thierisch=
magnetische Erscheinungen des höhern Grades hervorge=
bracht werden, und gegentheils da, wo der Magnetiseur die
Kunst ganz versteht, auf die Seele der Kranken zu wür=
ken, sind solche Erscheinungen, bei excentrischer Reizbar=
keit der Nerven, wahrscheinlich bloß durch Manipulation
in einiger Entfernung (von 4 — 6 Zoll) — wobei denn
doch auf Uebertragung von etwas Materiellem schwerlich
viel zu rechnen ist — zu bewürken. *) In der verfehl=
ten Art der psychischen Einwürkung scheint es auch mit zu
liegen, daß mancher Magnetiseur, selbst bei den reizbar=
sten Individuen, durchaus keine magnetische Erscheinun=
gen hervorrufen kann, während einem andern dieses sehr
schnell gelingt: obgleich auch der p h y s i s c h e Einfluß,
der bei dem einen Körper auf e i n Individuum gewiß
größer, als bei einem andern ist, hier nicht übersehen
werden darf.

Sind nun die thierisch=magnetischen Erscheinungen
theils durch würklichen Contact — (wobei ein aus dem

---

*) Ich kenne eine höchst reizbare Dame, die durch bloße
   Unterredung mit sehr lebendigen Männern über interes=
   sante Gegenstände, in einem so hohen Grade angegriffen
   wird, daß sie häufig, nach manchen voraufgegangenen
   Nervenerscheinungen, in einen ihr gar nicht unangenehmen
   schlafähnlichen Zustand fällt.

4

Körper des Magnetiseurs entweichender Stoff, aber
kein Weltäther, sondern ein dem Magnetiseur nichts
mehr nützender Dunst auf die Magnetisirte übertragen
wird), theils durch psychische Einwürkung bedingt, so
ist auch das Vorgeben der Anhänger des thier. M. von
der Würkungskraft magnetisirter Bäume, Gläser und
Flüßigkeiten (angeblicher magnetischer Substitute) nichtig.
Ein Aether, ein höchst kräftiger, lebendiger
Stoff müßte es immer seyn, der Pflanzen und unorgani-
schen Körpern durch Bestreichen und Behauchen des Magnetiseurs die Kraft mittheilen könnte, auf in ihrer Nähe
gebrachte thierische Körper zurückzuwirken, und in diesen
dieselben, nur schwächere Erscheinungen, als durch Manipulationen, hervorzubringen. Das Entweichen eines
solchen Aethers aus dem Magnetiseur ist aber ein Un-
ding; und das, was aus der Haut entweicht und an
andern Körpern etwa haftet, kann sich an diese nicht so
figiren, daß es als derselbe Stoff, so wie er aus der
Haut kam, zurückwürkt; oder gar Veränderungen
in jenen Körpern bewürken, wodurch die Rückwirkungen
Statt finden könnten. — Wasser soll magnetisirt
werden können, durch kunstmäßiges Betasten des Glases,
durch Spargiren und Comprimiren der Wasserfläche,
und es soll alsdann seine Würksamkeit an 48 Stunden
behalten!! Solches Wasser soll örtliche und allgemeine
Krämpfe besänftigen, schmerzhafte Leiden lindern, den
Stuhlgang befördern, sogar, bei schon vorhandener Dis-
position, magnetischen Schlaf hervorbringen!! *) In
der That, es gehöret ein recht leichter Glaube dazu, dieses Alles für wahr anzunehmen. Was kann denn bei
jenem Bestreichen und Spargiren, aus den Fingerspitzen
des Magnetiseurs in das Wasser übergehen? Ist es
nichts, als etwas Ausdünstungsstoff, wie kann dieser

---

*) Ein Magnetiseur hat sogar einmahl behauptet, die In-
tention, mit welcher er das Wasser magnetisire, er-
theile ihm die mehr oder weniger abführende Eigenschaft.
Kluge n. a. O.

das Waſſer ſo verändern, daß es die erwähnten Krampf= und Schmerzſtillenden, die Ausleerung befördernden Kräfte erlangt? Iſt es eine Nervenflüßigkeit, wie kann ein Menſch täglich eine ſo große Menge derſelben abgeben, als nothwendig iſt, (um wie ein gewiſſer Magnetiſeur an einem großen Orte) 40 bis 50 Gläſer zu imprägniren, ohne nicht in kurzer Zeit die Nervenſchwindſucht zu be= kommen? — Doch was die Magnetiſirten über magneti= ſirtes Waſſer ausſagen, iſt eben nicht dazu geeignet, Glauben an ſeine wunderbare Kraft zu erregen. Alle drücken ſich verſchieden darüber aus, einigen bekam es wohl, anderen übel; ſo wie Waſſer, als Waſſer, bei Nervenkranken, beſonders bei ſolchen, deren organiſches Nervenſyſtem leidet, (bei der magnetiſchen Behandlung in erhöhter Thätigkeit ſich befindet), bald einen ange= nehmen, bald einen unangenehmen Eindruck hervor= bringt. Uebrigens verſichert einer der ausgezeichnetſten und geſchätzteſten deutſchen Aerzte, Hr. Dr. Olbers in Bremen, daß er ſich aus eigner Beobachtung nie habe überzeugen können, daß magnetiſirtes Waſſer würklich unterſchieden werde *)

Das magnetiſirte Glas muß öfters ange= haucht, ſpargirt, beſtrichen, oder auch nur von dem Magnetiſeur einige Zeit am Leibe getragen, dann von Kranken auf die entblößte Herzgrube gelegt werden, und ſo ſoll es in der Abweſenheit des Magnetiſeurs den für den Magnetismus empfänglichen Kranken allein in Criſe ſetzen können! Dieſes verſichern achtungswerthe Aerzte. Ohne ſolche Fakta an ſich leugnen zu wollen, kann man ſich doch bei ganz unbefangener Anſicht unmöglich für überzeugt halten, das Glas habe jene Criſen hervorgebracht. Man beweiſe, daß durch Spargiren u. ſ. w. einem todten Körper ein Stoff des menſchlichen Organismus mitgetheilet werde, der ſich an demſelben, ſey es auf welche Art es wolle,

---

*) Stieglitz a. a. O. S. 293.

4*

fest halte, oder diesen Körper, (also Glas) so verändere, daß dadurch die erwähnten Rückwürkungen erfolgen. Wie es sich übrigens erklären läßt, daß durch das Auflegen eines solchen Glases magnetische Crisen bewürkt worden sind, davon weiterhin ein Mehreres.

Besitzt nun das magnetisirte Glas die angeblichen magnetischen Kräfte durchaus nicht, so muß man sie auch der sogenannten magnetischen Batterie oder Wanne (Baaquet) streitig machen. Denn hier kommt doch wohl bloß das auf dem Boden der Wanne befindliche und spargirte Glas in Anschlag, und die aus dem Boden hervorgehende eiserne Stange kann nur als (vorgeblicher) Conductor angesehen werden. Wie imaginair die Würkung einer solchen Batterie sey, das weiß man ja aus vielfältiger Erfahrung. Monate lang saßen Kranke bei derselben, in Erwartung der Dinge, die da kommen sollten, und spürten in der Regel durchaus nichts, oder was sie angaben, war so unbestimmt, daß man es mit Fug und Recht der Einbildung, oder Zufälligkeiten zurechnen konnte. Selbst ein großer Magnetiseur, der verst. Hofrath Wienhold in Bremen, bemerkte keinen sonderlichen Nutzen von der Batterie, und bediente sich in der Folge ausschließlich nur der Manipulation *) Was auch in einzelnen Fällen vorgeblich die Batterie geleistet hat, ist sicher einzig und allein durch die dabei zugleich Statt findenden Manipulationen des Magnetiseurs bewürkt worden. Wie kann man übrigens nur vermuthen, daß organische Fehler durch das Sitzen am Baaquet gehoben werden können? und wie ist es zu vertheidigen, manche dieser Kranken mit Hoffnungen hinzuhalten, statt ihnen das würksamere Messer des Wundarztes zu empfehlen?

Eine große Merkwürdigkeit ist der magnetisirte Baum. Sie haben Recht, die Magnetiseurs, wenn sie sagen, man könne sehr geneigt seyn, es für eine Er-

*) Kluge a. a. O. §. 321.

dichtung zu halten, daß das Würkungsvermögen des magnetisirten Baums durch das Gleichseyn der Weltseele oder des Weltgeistes in der Thier- und Pflanzenwelt bestimmt werde. *) Ein Baum, versichern sie, der von Süden nach Norden, von den Aesten bis zum Hauptaste, und von diesem bis zur Wurzel bestrichen, dann eine Zeit lang kräftig von ihnen umarmt werde, wachse durch diesen ihm einmahl gegebenen Impuls viel schneller und üppiger, als sonst, und erschöpfe sich nicht durch Berührung mit dem Thierkörper, sondern äußere bisweilen für den ganzen Sommer magnetisches Würkungsvermögen. Bringe man Kranke in unmittelbare Berührung mit einem solchen Baume, oder befestige man Hanfschnüre unter der Krone des Baums, leite sie zu den im Kreise umher sitzenden Kranken, und knüpfe die Enden der Schnüre wieder an den untern Theil des Stammes: so erhielten nervenschwache Personen magnetische Sensationen, fielen leicht in Somnambulismus, und es würden schon allein durch die Nähe eines solchen Baums langwierige Localübel geheilt. — Man glaubt in der That in einer Feenwelt sich zu befinden, wenn man so etwas lieset. Indessen ist das Sitzen unter Bäumen, um eine Portion Weltseele aus denselben einzuziehen, auch nur in Frankreich stark im Gebrauch gewesen, niemals aber von unsern bessern Magnetiseurs empfohlen worden. **)

Zweiter Grad des thierisch-magnetischen Zustandes.

Der magnetische Schlaf und der Somnambulismus.

Wenn schon für die geringeren Grade des thier. M. nur wenige Menschen empfänglich sind, so sind es unter diesen wieder nur sehr wenige für den zweiten Grad. Das beweiset die Erfahrung, indem manche Magneti-

---

*) Kluge a. a. O. S. 416.
**) Stieglitz a. a. O. S. 135—36.

feurs Jahrelang eine nicht geringe Anzahl von Menschen magnetisirten, und unter diesen nur äußerst wenige bis zu dem zweiten Grade gebracht werden konnten.

Dieser Grad beginnt mit dem magnetischen Schlafe. In demselben kann der Kranke nicht mehr, wie beym schlafähnlichen Zustande des ersten Grades, alle an ihn gethanene Fragen beantworten, sondern er ist gegen alles Anreden, selbst gegen das heftigste Schreien, durchaus unempfindlich. Dieser Schlaf (kein wahrer Schlaf) geht manchmahl bis zum wahren soporösen Zustande, und ist zuweilen von Ohnmachten, allgemeinem convulsivischen Zittern, würklichen Krämpfen, Starrkrampf, apoplectischem Zustande begleitet.

Entweder erwacht nun der Kranke und er befindet sich alsdann wohl und gestärkt, oder der magnetische Schlaf geht mit einem tiefen Seufzer in den Somnambulismus über. Und nun beginnt die Reihe der wunderbaren Erscheinungen, die so mitgetheilet werden sollen, wie sie uns von den Magnetiseurs erzählet werden.

Unter Somnambulismus *) wird verstanden das allmälige Erwachen innerhalb des magnetischen Schlafes. Das Bewußtseyn kehrt zurück, der Kranke erkennt sich und seinen Zustand wieder, aber in einem abgeänderten Verhältnisse zu den Umgebungen. Die äußern Sinne sind entweder gänzlich geschlossen, oder doch unter einer andern Form hervorgetreten, und nur Der innere Sinn ist erwacht. Der Somnambul unterscheidet mit den Augen nichts als Licht und Finsterniß; die Augenlieder können weder durch eigne Willkühr, noch durch fremde Beihülfe geöfnet werden, der Versuch der letztern erregt Convulsionen der Gesichtsmuskeln. Dabei wollen nun die Magnetiseurs Folgendes beobachtet haben:

---

*) Einige, unter andern Burdach (Physiologie. Leipz. 1810. S. 276), nennen ihn den neurogamischen Somnambulismus.

1. Der Tastsinn wird so sehr erhöhet, daß der Somnambul die feinsten Gesichtsgegenstände, sowohl ihren Farben, als Umrissen nach, auf das deutlichste unterscheiden, Schriften lesen, auch wohl selbst schreiben kann.

2. Die Magengegend wird besonders der Sammelplatz aller Sinnes = Empfindungen. Der Stand des Zeigers einer auf die Herzgrube gehaltenen Uhr, die eben dahin gelegte Spielkarte werden erkannt; bringt der Somnambul es weiter, so sieht er das, was der Magnetiseur in der verschlossenen, auf seine Herzgrube gelegten Hand hat, er lieset mittelst seiner Herzgrube verschlossene Briefe, weiß, was die in der Nähe befindlichen Personen in der Tasche haben; ja! zuweilen können die Somnambuls, wenn Jemand mit einem Buche in ein Nebenzimmer geht, mit der einen flachen Hand ein Blatt dieses Buches bedeckt, mit der andern einen von den anwesenden Menschen berührt, welche durch wechselseitiges Halten der Hände eine fortlaufende Kette bis zur Kranken bilden, auf deren Herzgrube der letzte seine Hand legt, — — — ein solches Buch lesen.

3. Das Gehör ist so verfeinert, daß die leisesten Töne durch Wände und Thüren wahrgenommen werden; in der Regel wird von dem Somnambul aber nur das gehöret, was der Magnetiseur spricht. Der Somnambul hört aber auch mit der Magengegend, wenn jener nur leise auf dieselbe spricht. — In der Folge verliert sich die Fähigkeit der Magengegend, zu sehen und zu hören, und das geschlossene Auge und Ohr treten ihre Funktionen wieder an.

4. Eben so sind Geruchs = und Geschmacksinn sehr erhöhet, und es werden sogar Geruchs = und Geschmackseindrücke vermittelst der Magengegend wahrgenommen.

5. Das Nähern fremder Personen, welches der Somnambul schon in einer Entfernung von 15 — 16

Schritten empfindet, ist ihm in der Regel widrig; bisweilen mehr das Nähera ihm werther, als ihm gleichgültiger Personen. *) Berührung von fremden, besonders widrigen Personen erregen bei dem Somnambul mehr oder weniger Lähmungen und Krämpfe; zuweilen ist ihm selbst die leiseste Berührung seines Magnetiseurs unangenehm. Ganz vorzüglich widrig sollen Metalle auf ihn würken, und er wird schon in der Entfernung von einigen Zollen durch sie beunruhigt; vorzüglich geschieht dieses durch Silber, Kupfer, Tomback, Messing, Zink, am heftigsten aber durch den mineralischen Magnet.

6. Mit Ausnahme weniger, bei denen sich Stimmlosigkeit zeigt, sprechen die Somnambuls theils von selbst, theils auf gegebene Veranlassung. Bisweilen wird ihre Sprache höchst melodisch und fast singend, der Plattdeutsche spricht hochdeutsch, und zwar mit einem sehr feinen obersächsischen Dialekte (würklich? vielleicht den Leipziger Dialekt, oder den Berliner?); fremde Sprachen werden viel geläufiger, dreister und besser, als sonst, gesprochen.

7. Hat der Kranke erst einige Mahl diesen Grad erreicht, so bedarf es, um ihn in der Folge wieder in diesen magnetischen Zustand zu versetzen, nicht mehr der unmittelbaren Berührung von Seiten des Magnetiseurs, sondern der Kranke verfällt auch schon augenblicklich in Crise, wenn ihn der Magnetiseur anhaucht, oder ihn mit einem festen Blicke ins Auge sieht, oder auch nur das in einem Spiegel sichtbare Bild des Kranken aus der Ferne magnetisiret, oder endlich indem er sich blos in der Nähe des Kranken aufhält. Aber auch ohne Ein-

*) Ein Schriftsteller glaubt bemerkt zu haben, daß alle ungläubige und gegen den thier. M. eingenommene Personen auf magnetische Schlafende einen widrigen Eindruck machen. Der gute Mann hatte sich gewiß vorgenommen, die Summe der paradoxen magnetischen Beobachtungen zu vermehren.

wirkung des Magnetiseurs erfolgt der Somnambulismus, wenn er habituell geworden ist, bei irgend einer
äußern oder innern Veranlassung; oft aber auch ohne
irgend eine bemerkbare Veranlassung.

Ein solcher magnetischer Zustand dauert gewöhnlich
nur eine oder zwey Stunden; er kann aber auch, wenn
er von selbst eintrat, einen und mehrere Tage dauern,
wo dann der Somnambulismus in den natürlichen
Schlaf, und dieser, statt in das Wachen, wieder in den
Somnambulismus übergeht.

Dritter Grad des thierisch-magnetischen Zustandes.

Das Hellsehen.

In diesem Grade kommt nun der Kranke, wie die
Magnetiseurs versichern, zur innern Selbstbeschau-
ung (Clairvoyance), ihm wird eine helle und lichtvolle
Erkenntniß seines innern Körpers- und Gemüthszu-
standes zu Theil, und bald durchbricht er gänzlich die
Hülle äußerer Dunkelheit, tritt in höhere Beschauung
der ganzen Natur, und gelangt zur allgemeinen Klarheit (Ecstase.) Doch wir wollen die Wunder, welche
sich mit dem sogenannten Clairvoyant zutragen, etwas
ausführlicher erzählen.

1. Der Kranke durchschauet nun sein Innerstes.
Er giebt die Lage der innern Theile an, beschreibt den
Bau, die Farbe des Herzens, der Leber, Milz, Nieren,
Blutgefäße u. s. w.; nennt z. B. mit anatomischer Genauigkeit die kleinsten Theile, woraus das Auge gebildet
ist; er sieht das Blut in den Adern fließen, das Herz
sich kreisförmig bewegen u. s. w.

2. Vermöge dieser genauen Kenntniß seines innern
Körpers bestimmt aber der Clairvoyant nicht nur sehr
treffend den Sitz und die Beschaffenheit seiner Krankheit,
sondern er nennt auch die zu seiner Wiederherstellung

nöthigen Heilmittel, oder beschreibt doch ihre nöthigen
Eigenschaften; er sagt den Eintritt, die Dauer und
Stärke seines magneti,chen Schlafes, die Zeit, wann
seine Krankheit gehoben seyn wird, vorher. Aber nicht
bloß, daß der Clairvoyant in sich hineinzuschauen
vermag, er sieht auch — Wunder über Wunder! — in
andere, mit ihm in Rapport gesetzte Personen hinein,
durchblickt mit eben der Deutlichkeit ihre innern Körper=
zustände, als seine eignen, erkennt ihre Krankheit und
deren Verlauf, und entwirft einen zweckmäßigen Heil=
plan. Zwischen dem Clairvoyant und dem Magneti=
seur ist die Sympathie am stärksten; dieser bemerkt den
Gang der Uhr, die jener gegen sein Ohr hält; er schmeckt
den Pfeffer, das Salz, den Wein, die der Magnetiseur
im Munde hat; er hustet, wenn dieser hustet; er em=
pfindet die Krankheit desselben, und bekommt zur selbi=
gen Zeit, wo sein entfernter Magnetiseur eine Abfüh=
rung und ein Brechmittel nimmt, Erbrechen und Durch=
fall. Ist der Clairvoyant dem Zustande der allgemei=
Klarheit nahe, so bedarf es nicht mehr der unmittelbaren
Berührung, um einen andern Kranken mit ihm in
Rapport zu setzen; sondern beide können meilenweit von
einander entfernt seyn, und dennoch kann der Magneti=
seur mittelst Zwischenkörper einen solchen Rapport zu
Stande bringen, indem er eine von dem entfernten
Kranken einige Tage hindurch auf der bloßen Herzgrube
getragene, nach diesem von keinem andern berührte,
sondern von dem Kranken eigenhändig in Seide gehüllte
Glasplatte dem Clairvoyant zu enthüllen giebt, und sie
ihm einige Zeit auf die Herzgrube legen läßt, wo dann
der Clairvoyant eben so gut, als wenn ihn der entfernte
Kranke würklich berührte, die innern Zustände desselben
deutlich fühlt und erkennt, die Folgen im Voraus be=
stimmt und das Heilverfahren vorschreibt.

3. Die geistigen Kräfte des Clairvoyant sind be=
deutend gesteigert. Er drückt sich in einer höhern
Sprachart aus, spricht auch Sprachen, die er sonst

kaum kannte, macht Verse, obgleich er sonst kein Dichter
ist; seine Rede enthält Feuer, Geist und Präzision.
Seine Vorstellung ist lebhafter und stärker, sein Denken
freier und tiefer, und sein Urtheilen schneller und schärfer. Ein Clairvoyant von 23 Jahren, ein Mädchen von
großer Ehrbarkeit, das aber nur wenigen Unterricht erhalten hatte, soll unter den Anfällen ihres Schlafredens
sogar eine 136 S. in 8. starke Schrift in vier Theilen
dictiret haben, wovon der erste Theil von der körperlichen Organisation, den geistigen Fähigkeiten, der künftigen Bestimmung; der zweite von dem Magnetismus;
der dritte von dem magnetischen Schlafe handelt; der
vierte eine Entwickelung des Geheimnisses der Dreieinig-
keit enthält. Das hat uns ein Franzose
berichtet, und das haben Deutsche ge-
glaubt!

4. Das Gefühl des Clairvoyants ist viel stärker,
als das des Somnambuls; sie wünschen nie aus diesem
Zustande herauszukommen. Vorzüglich wohl befinden
sie sich in der Nähe ihres Magnetiseurs; dessen plötzli-
ches Entfernen sie in die widrigsten und peinlichsten Zustände, selbst in Krämpfe versetzt. (Alle Fälle abgerech-
net, wo dieses nicht erfolgte.) — Auch die Neigung
der Clairvoyanten, die von einem und demselben Magnetiseur behandelt werden, wächst zusehends; sie scheinen
Eins zu seyn, übertragen einander ihre Fehler und Voll-
kommenheiten, sogar Gehörfehler.

5. „Endlich kommt der Clairvoyant in eine höhere
Verbindung mit der gesammten Natur, und tritt in den
Zustand der allgemeinen Klarheit über. Von
allem Kleinlichen, Irrdischen ist der Kranke abgezogen,
und zu größern und edlern Gefühlen gesteigert; höchste
Ruhe, Unschuld und Reinheit, die aus seinem ganzen
Wesen hervorgehen, geben ihm das Ansehen eines Ver-
klärten, und in einer höhern Mundart spricht gleichsam
ein Geist aus ihm." (O! weh!) Er durchblickt nun,
wie man uns aufbinden will, mit einer ungewöhnlichen

Deutlichkeit das Verborgene in der Vergangenheit, das Ferne und Unbekannte in der Gegenwart, und das in seinen Keimen noch schlummernde Zukünftige. Auf Befragen sagt er: diese höhere Weisheit sage ihm Jemand (doch nicht der Magnetiseur?), denn er empfinde sie durch die Herzgrube (eine ganz neue Art, Vorträge über höhere Weisheit anzuhören). *) Jetzt durchspähet er noch mehr seinen innern Körper, er erzählt frühere Krankheiten, ihren Sitz; er nennt die seinem Krankheits-zustande angemessenen Heilmittel noch bestimmter, wo sie in der Apotheke, wenn er schon in diese nie gewesen ist, stehen, wo sie wachsen; er prophezeiet, daß er z. B. nach einiger Zeit den Fuß verrenken, mit wem er nach vier Wochen auf einem Balle walzen werde; er erhält von der Krankheit und den Geschäften hundert und mehrere Meilen entfernter Verwandten Kunde, selbst von Menschen, die er gar nicht kennt, von Todesfällen weit entfernter Personen. Er weiß es bestimmt, wenn die Gedanken des Magnetiseurs zerstreut und nicht auf seinen Zustand gerichtet sind. Unter der Herrschaft des Willens des Magnetiseurs steht er ganz, jener vermag Alles über ihn, sobald sein fester Wille nur das Gute bezweckt. Daher kann auch der Magnetiseur durch festen Willen und figirten Geist den viele Meilen von ihm entfernten Kranken in demselben Augenblick, wo er es sich vornimmt, in Crise versetzen.

Dies ist nun die Reihe der wundersamen Erscheinungen, die man bei Somnambuls beobachtet haben will.

---

*) Eine französische Dame, die während der Revolution wegen einer mystischen Schrift angeklagt wurde, versicherte den Richtern: während des magnetischen Schlafes habe die heil. Jungfrau ihr die Schrift in die Feder dictirt. Girtanner's histor. Nachr. über d. französ. Revolution. B. IV. Berl. 1792. S. 44. Brissot ließ darauf folgende Schrift drucken: Projet de Contre-Revolution par les Somnambulistes.

Wenn das Alles so wahr wäre, wie es in den Schriften der Magnetiseurs steht, so müßte man bekennen, daß unser Geist ein Wesen ganz anderer Art sey, als wofür wir ihn bisher gehalten haben, daß die Gränzen seiner Thätigkeit und seiner Kraft von uns viel zu enge gesteckt seyen; daß wenigstens Kräfte in ihm schlummern, die wir nie geahndet haben. Man müßte gestehen, daß unsere physiologischen Kenntnisse uns bis jetzt ganz irre geleitet hätten, und wir müßten eine ganz andere physiologische Doctrin componiren, besonders die Lehre von dem Seelenorgan, von den Sinnen, vom Nervensystem überhaupt, von dem Gangliensystem insbesondere u. s. w. u. s. w. durchaus ganz anders bearbeiten. Ehe wir indessen hiezu schreiten, wollen wir doch lieber erst prüfen, und fragen: ist denn das, was die Magnetiseurs von ihren Somnambuls erzählen, auch so buchstäblich wahr, wie sie es erzählen? Kann es wahr seyn? Die recht enragirten Anhänger des thier. M., die craßen Mesmeristen, werden freilich darüber erstaunen, daß man jetzt, nachdem das Werk ihres Herrn und Meisters — der von der Erschaffung der Erde noch viel mehr weiß, als Moses —, nebst dem Commentare seines Jüngers, erschienen sey, solche Fragen noch aufwerfen könne. Wir aber, die wir gerne Schriften und Thatsachen prüfen, werden uns durch solche Zurechtweisungen nicht irre machen lassen. Wir halten Mesmer für einen Schwärmer, und seine Schrift für das non plus ultra der Schwärmerei; wir bedauern, daß Hr. Wolfart seine Thätigkeit auf einen solchen Commentar gerichtet hat, und da fortschwärmt, wo Mesmer aufhöret; wir glauben bei weitem nicht Alles, was in Hrn. Kluge's Schrift steht, weil es mit der gesunden Vernunft nicht vereinbar ist.

Thatsachen! — Ja! wäre dieses richtig, könnten die Magnetisten es beweisen, daß ihre Behauptungen sich auf würklichen Thatsachen gründeten! Wahr ist es, wir haben eine Menge von Erzählungen von

Somnambuls und Clairvoyants, vorzüglich von französischen Magnetiseurs. Diese waren zum Theil keine Aerzte, sondern französische Marquis, Ludwigsritter u. dgl. m., entweder Schwärmer oder Gewinnsüchtige, die ihre Bacquets, wie die Banquiers den Pharaotisch ansehen, oder Männer, denen es durchaus an Talenten und Kenntnissen fehlte, so daß eine richtige Beobachtung von ihnen sich kaum erwarten läßt. Selbst den mehrsten Erzählungen der französischen Aerzte von Somnambuls und Clairvoyants sieht man eine gewisse Flüchtigkeit und Leichtgläubigkeit an; es fehlt ihnen an Gründlichkeit, sie erzählen die ungereimtesten Sachen, widersprechen sich in den wichtigsten Punkten, und fallen von einer Schwärmerei in die andere; sogar ihre bessern Aerzte sind so leichtgläubig, daß sie gutmüthig nacherzählen, eine Clairvoyante habe unter den Anfällen eine Metaphysik dictirt. Unter den deutschen Magnetiseurs, an deren Beobachtungsgabe und Wahrheitsliebe nicht immer zu zweifeln ist, haben einige uns ähnliche Wunderhistorien, wie die Franzosen, mitgetheilt, und fast scheinen manche diese an Schwärmerei und Leichtgläubigkeit noch zu übertreffen. Von andern kann man dieses weniger sagen; sie sind vielmehr, wie man deutlich genug sieht, bei den Untersuchungen weit bedachtsamer zu Werke gegangen, haben auch nur selten magnetische Wunder erlebt, zweifeln zum Theil selbst an denselben. Wenn man außerdem noch erfährt, daß so manche magnetische Geschichten, wobei sich die größten Wunder ereignet haben sollen, für deren Wahrheit unverwerfliche Zeugen angeführet werden, dennoch in der Folge sich als schlechterdings falsch ergeben haben, daß die Beobachtenden getäuscht oder betrogen worden sind, so muß man den Glauben selbst an die weniger auffallenden Erzählungen von Somnambuls so ziemlich verlieren. Auch unsere deutschen Magnetiseurs sind im Ganzen für ihre Sache viel zu sehr eingenommen, sie sehen sie selbst viel zu wichtig an, sie glauben viel zu leicht an die von ihren Vorgängern erzählten Wundergeschichten. Ihre Ambi-

tion, seltner wohl unedle Speculation, treibt sie zu Ver=
suchen an, ähnliche Fälle von Somnambulismus in sei=
nen höheren Graden aufzustellen, zu erzwingen; sie han=
deln nun nicht mehr besonnen, täuschen sich und werden
getäuscht, und so sehen sie denn auch sehr bald die Wun=
der, nach welchen sie so begierig waren.

Es würde eben so absurd, als beleidigend seyn, wenn
man alle Geschichten von Somnambuls für durchaus
falsch erklären wollte. Aber auch nur dasjenige an die=
sen Geschichten kann man für wahr halten, was sich mit
der gesunden Vernunft vereinbaren läßt. Was gegen
diese streitend von Somnambuls erzählt wird, beruht
auf Täuschung oder Betrug, oder wahrer Schwärmerei.
Wenn man daher den menschlichen Geist auf einer Stufe
erheben will, worauf er hier auf Erden wenigstens noch
nicht steht; wenn man dem Somnambul Divinations=
vermögen zuschreibt; wenn man behauptet, daß er das
Verborgene in der Vergangenheit, das Ferne und Un=
bekannte in der Gegenwart durchschauen; durch die
Herzgrube die durch eine Kette von Händen ihm zuströ=
menden Worte lesen, (oder seine Seele bis zu dem Buche
wo diese geschrieben stehen, hin spediren?) in verschlos=
sene Briefe eindringen könne, und was dergl. abentheu=
erliche Dinge mehr sind: so darf man dieses den Er=
zählungen von den angeblichen Wunderthaten Thun's
Gaßners u. A. getrost an die Seite setzen. Doch wir
wollen das Einzelne, was von Somnambuls erzählt
wird, etwas näher durchgehen.

Daß durch fortgesetzte thierisch = magnetische Ein=
würkung bei einigen, immer aber nur bei sehr wenigen,
magnetischer Schlaf und Somnambulismus hervorge=
bracht werden können, ist unbestreitbar. Der erstere ist
indessen kein wahrer Schlaf, sondern ein schlafähnlicher
Zustand, eine ganz eigenthümliche Affection des Gehirns,
die sich mehr dem soporösen Schlafe nähert, wie wir
ihn bei krampfhaften und besonders konvulsivischen
Krankheiten zuweilen wahrnehmen. Bis dahin hat die

Sache nichts auffallendes. Aber nun tritt, wieder nur
in sehr seltenen Fällen, in dem magnetischen Schlafe
eine Art von Erwachen mit Rückkehr des Bewußtseyns,
der Somnambulismus, ein. Die Existenz des letztern
zu leugnen, wie viele Aerzte thun, verräth entweder
gänzliche Nichtkenntniß der Beobachtungen, die von
wahrheitsliebenden Magnetiseurs erzählt und selbst von
Gegnern der Anwendung des thier. M. bestätiget wer=
den; oder Caprice, nichts von den auffallenden Erschei=
nungen des thier. M. zugestehen zu wollen. Ein ähn=
licher Zustand, wie der Somnambulismus, entwickelt
sich ja, welches allen erfahrnen Aerzten bekannt ist,
bei großen Nervenkrankheiten oft von selbst, ohne alle
thierisch = magnetische Einwürkung, wie ich selbst zwei=
mahl gesehen habe. Hier wird er als ein eigentlicher
Krankheitszustand, an dessen Existenz Niemand zweifelt,
angesehen. Warum sollte er also bei sehr reizbaren, an
Nervenschwäche schon lange leidenden Individuen, die
bereits einen hohen Grad von Empfänglichkeit für thie=
risch=magnetische Einwürkung besitzen, nicht auch durch
fortgesetzte Manipulationen der Art hervorgebracht wer=
den können? Worin dieser Zustand aber eigentlich be=
stehe, das wissen wir nicht; wir nehmen blos wahr,
daß bei demselben Gehirn und Nervensystem auf eine
ganz besondere Weise und bedeutend affizirt, einige
Sinne in ihrer Thätigkeit gehemmt sind, andere mehr
Feinheit und Schärfe, oder eine besondere Stimmung
haben, und daß in diesem Zustande der Kranke mehren=
theils reden könne, der häufiger somnambul gewesene
Kranke aber sehr leicht in denselben Zustand wieder ver=
falle. Alles dieses müssen wir zugeben, wenn wir nicht
aller Beobachtung Hohn sprechen wollen; das Uebrige
aber, was die Magnetisten uns von den Somnambuls
erzählen, ist entweder übertrieben, oder gehöret zu den
Fabeln.

1. Die Magengegend soll der Sam=
melplatz aller Empfindungen werden,

so daß mit derselben der Somnambul
sehen, hören, schmecken, riechen und
fühlen könne. In der That! eine crasse Behaup=
tung! Daß bey geringerer oder gänzlich mangelnder
Thätigkeit eines Sinnorgans, das eine oder andere
schärfer hervortritt, z. B. bei dem Blindgebornen oder in
der Folge blind werdenden das Getast und Gehör, das
ist eine bekannte Erfahrung und nicht schwer zu begrei=
fen. Daß aber ein dem reproductiven oder vegetativen
Systeme dienender Nervenknoten für alle Sinne vicarii=
ren könne, so daß er alle Functionen eines jeden einzel=
nen Sinnes, und zwar in viel höherer Vollkommenheit,
als das Sinnorgan selbst, ausübt, das ist denn doch
das Widersinnigste, was man behaupten kann. Jede
Funktion in unserm Organismus ist an ein bestimmtes
Organ gebunden, welches seinem Zwecke gemäß organi=
siret ist: so auch die Sinnorgane. Unterstützen, berich=
tigen kann ein Sinn den andern, aber er kann nicht in
die Stelle eines andern Sinnes treten, weil ihm die
Fähigkeit dazu mit seiner Organisation nicht gegeben ist.
Um sehen zu können, muß das Bild durch das sphäroi=
disch gebildete Auge auf die Netzhaut desselben fallen;
kein anderer Theil an und in unserm Körper ist so ge=
bildet, als das Auge: mit keinem andern Theile kann
man also sehen (mit keinem andern, als mit dem Ohre
hören u. s. f.) Ist diese Art zu schließen richtig, wie wir
uns erlauben, alles Ernstes zu behaupten, so müssen
die Magnetisten auch zugeben, daß obige Behauptung
schlechthin nicht bestehen könne, eine wahre, die höchste
Absurdität sey.

Die Magengegend soll eine Art von
Sensorium commune, der Centralpunkt aller Em=
pfindungen werden, in die Funktion des Gehirns
eintreten. Alle Sensationen also die in dem Gehirn,
wie in einem Brennpunkte, sich vereinigen, sollen bei
dem Somnambul in der Magengegend zusammenkom=
men; ein Ganglion (der Oberbauchknoten), ein kleiner,
röthlicher, graulicher Körper soll mithin die Funktion

5

des so vielfach und bewundernswürdig con
hirns vertreten! Wie sollen aber die Sensat
sie durch die Magengend aufgenommen, in
tion concentrirt werden, mit der Seele i
oder zum Bewußtseyn kommen? Läßt
sich vielleicht einmahl gefallen, von dem
nach dem Ganglion verlegt zu werden? Ol
Sensationen wieder durch den herumschwei
ven zum Gehirn? Es wäre gleich unsinni
wie das andere anzunehmen. Zur Bekrä
Behauptung führen die Magnetiseurs ang
an. Wir nennen sie magnetische Geschie
unter Thatsache, und Erzählung t
die sich zugetragen haben sollen, ist ein l
Unterschied. Erstere müssen immer die Mö
aussetzen, daß sie sich haben zutragen kön
diese schlechthin nicht Statt, so ist von dem
die angebliche Thatsache beobachtet haben wi
bey der Beobachtung vorgegangen, oder e
erzählt, als er würklich gesehen hat. Das l
wir allenfalls nur von einem sehr kleine
Magnetiseurs annehmen; also — die Meh
ten sich und wurden getäuscht. Daß wir i
tischen Wundergeschichten, die sich häufig
lich sind und einander widersprechen, tief
um jede einzeln, oder wenigstens die ähnlich
legen, kann unmöglich gefordert werden,
unnöthig; denn, wenn Jemand eine Beg
sich zugetragen haben soll, erzählt, ihm abe
geführet wird, daß eine solche Begebenheit
tragen könne: *) wozu dann noch das wei
gen in die näheren Umstände?

Noch viel stärker ist es, wenn die Ma
erzählen, dieser und jener Sonnambul hab

---

*) Die Jansenisten erklärten einmahl sehr rich
    Jesuiten: der Pabst könne nicht befehlen
    das, was es durchaus nicht ist, dennoch sey

auf die Herzgrube gelegte Bücher, die in der dritten, vierten Stube sich befanden, durch Hülfe der magnetischen Kette (Händeverbindung) lesen können? Sonderbar, daß so viele Magnetiseurs, die doch eine große Anzahl von Somnambuls gesehen haben, uns hiervon nichts erzählen, während nur einige uns mit solchen Raritäten unterhalten. Und dergl. abentheuerliche Geschichten finden Glauben? Arme Seele, welches sonderbare Wesen müßtest du seyn, wenn man dich von deinem Wohnsitze herablocken, dir befehlen könnte, in Briefe zu dringen, diese zu lesen, und dann in deine Wohnung zurückzukehren, und dir nun dasjenige klar werden zu lassen, was du gesehen hast! Und Ihr Psychologen, was habt Ihr uns von der Seele bis jetzt vorgefabelt! Geht hin zu den Magnetiseurs, und lernt, daß sie der Wanderung schon hier auf Erden fähig, von dem lebenden Menschen trennbar sey, und in Briefe und Bücher, in Taschen und Uhren, und selbst in den Leib eines andern Menschen — so wollen es die Magnetiseurs — eindringen könne! Daß Ihr die Seele noch gar nicht kannet, daß Ihr sie für ein viel zu subordinirtes Wesen angesehen, und ihr doch mehr Individualität zugestanden habt, als ihr würklich zukommt, das Alles muß Euch klar werden, wenn Ihr nur glaubet, was die Enragés des thierischen Magnetismus Euch erzählen.

Hätte man sich doch bey allen Fällen von Somnambulismus bemühet, das Wahre von dem Eingebildeten und Trügerischen, den durch die magnetischen Einwürkungen würklich hervorgerufenen Krankheitszustand von den Würkungen der erhitzten Einbildungskraft der Somnambuls und Magnetiseurs richtig zu unterscheiden; das Sonderbare und Auffallende in den Aussagen der Schlafredenden nicht bloß anzustaunen, sondern mit der größten Vorsicht und Unbefangenheit zu untersuchen, wie die Kranke wohl darauf habe geleitet werden können, welchen Einfluß darauf selbst der Magnetiseur, die Umstehenden und Angehörigen des Kranken gehabt haben:

5*

so würde man über Manches schon weit mehr ins Reine und Klare seyn. —

2. Der Magnetiseur soll in dem genauesten Rapport mit dem Somnambul stehen, und in der Regel angenehm auf ihn würken; andere Menschen sollen dagegen, wenn sie nicht durch den Magnetiseur in Rapport gesetzt sind, unangenehm auf den Kranken würken. Wäre Alles, was in dieser Hinsicht die Magnetiseurs uns erzählen, ganz buchstäblich wahr, so wäre es allerdings eine merkwürdige Erscheinung. Wenn dagegen einer der scharfsinnigsten deutschen Aerzte, Hr. Dr. Olbers in Bremen, versichert: daß die allgemein angenommenen Satze über den Rapport zwischen Magnetiseur, Magnetisirten und andern Menschen sich in den Thatsachen, die in seine Beobachtung fielen, nicht bestätiget hätten: *) so kann man jenen Erzählungen unmöglich viel vertrauen. Ein großer Theil der Magnetiseurs hat von diesem thierisch-magnetischen Rapport nie selbst etwas gesehen, sondern nur auf Glauben angenommen, was von seinen Vorgängern, zuerst also von den leichtsehenden und leichtgläubigen Franzosen, erzählt worden ist. Manches, was wir über diesen Rapport in Schriften lesen, ist überdem gar so wunderbar nicht, wie es auf den ersten Anblick scheint. Leicht erklärlich ist es doch wohl, daß eine Kranke, die mit Erfolg magnetisiret worden ist, eine gewisse Anhänglichkeit für den Magnetiseur, und für Alles dasjenige fühlt, was mit ihm in Beziehung steht. Aeußern eine solche Anhänglichkeit doch häufig auch an langwierigen, besonders schmerzhaften Uebeln Leidende, an ihren Arzt, wenn dieser ihre Leiden auf andere Art lindert. Daß also in jenem Falle der Magnetiseur, der zu seinem Kranken in weit näherer Beziehung steht, der sich seiner Einbildungskraft schon

*) Stieglitz a. a. O. S. 293.

bemächtiget hat, deſſen Ausdünſtungsſtoffe er ſchon durch die öftere Nähe und die häufigen Manipulationen aufzunehmen gewohnt iſt, weit wohlthätiger auf ihn einwürken wird, kann nicht in Erſtaunen ſetzen. In der magnetiſchen Criſe iſt aber die Receptivität des Nerven=ſyſtems bedeutend erhöhet; andere Menſchen, die ſich dem Kranken nähern, haben eine andere, als die ihm bekannte Ausdünſtungs = Atmoſphäre des Magnetiſeurs, die nun das verfeinerte Nervenſyſtem perzipiret, und von welcher daſſelbe bei ſeiner kränklichen Reizbarkeit, unangenehm affiziret wird. Tritt der Magnetiſeur zwi=ſchen beyden, ſo würkt er auf die gewohnte angenehme Art auf die Magnetiſirte, und die Einwürkung der fremden Perſon iſt von keiner widrigen Würkung für beide; tritt die letztere zwiſchen ihm und der Magneti=ſirten, ſo theilt er jener Stoffe ſeiner eigenthümlichen Hautausdünſtung mit.

Daß es bei der magnetiſirten Perſon unangenehme Empfindungen verurſacht, wenn der Magnetiſeur ſich entfernt, hat gleichfalls das Wunderbare nicht, was viele Schriftſteller der Erſcheinung beilegen. Der Mag=netiſeur ſteht zu der Magnetiſirten in beſonderer, inniger Beziehung. Die Criſe, worin dieſe liegt, der eigen=thümliche, durch ſeine Einwürkung hervorgebrachte Krankheitszuſtand muß eine gewiſſe Zeit andauern, wenn er für die Kranke wohlthätig werden ſoll, d. h. wenn durch ihn andere Krankheitszuſtände gehoben wer=den ſollen. Zu der Unterhaltung des magnetiſchen Krankheitszuſtandes wird aber in der Regel die fort=während e Einwürkung des Magnetiſeurs erfordert. Iſt dieſe gehemmt, oder höret ſie ganz auf, ſo wird die Criſe gewöhnlich unterbrochen *), der magnetiſche Schlaf hört daher auf, und dieſes plötzliche Erwachen iſt von ähnlichen unangenehmen Gefühlen, als das plötzliche, durch heftige Störungen verurſachte Erwachen aus dem

---

*) Daß dieſes nicht immer geſchehe, wenn der Magnetiſeur ſich entfernt, davon weiß ich ein zuverläßiges Beiſpiel.

natürlichen Schlafe begleitet. Dem Somnambul muß dasselbe aber um so unangenehmer seyn, wenn man die große Reizbarkeit seines Nervensystems in Anschlag bringt. Aus demselben Grunde wird er aber auch mit höchst unangenehmen Gefühlen aus seinem magnetischen Schlafe erwachen, wenn der Magnetiseur die Sitzung überhaupt nicht kunstmäßig beschließt, zu rasch die Crise beendigt. Ueberdem erwäge man, daß, wenn das Verhältniß des Magnetiseurs zu der von ihm in magnetische Crise versetzten Person auf irgend eine Weise gestöret, ihre innige Verbindung aufgehoben ist, bei der großen Rezeptivität ihres Nervensystems, andere Eindrücke desto leichter wahrgenommen werden müssen, dadurch also auch der magnetische Schlaf gestöret und unterbrochen wird.

Was die Behauptung der Magnetiseurs betrifft, daß die Somnambuls nur das hörten, was der Magnetiseur ihnen sagt, nur das Geräusch, die Töne, die Worte, welche von ihm ausgehen; daß sie das von andern Personen Gesprochene nur dann hören, wenn sie durch ihren Magnetiseur mit ihnen in Verbindung gesetzt sind, dann aber auch dessen, so wie jener Personen leisefte Worte vernehmen können: so ist dieses Alles noch lange nicht erwiesen. Viele Magnetiseurs beobachteten es entweder gar nicht, oder versicherten doch, man könne über diesen Punkt noch nicht ganz aufs Reine kommen. Gesetzt aber es wäre dem also, was ist denn dabei so wunderbar, wie man dem Publikum glauben machen will? (vielleicht um als Wunderthäter zu glänzen!) Bewiesen wird dadurch nichts weiter, als daß zuweilen auch das Gehörorgan des Somnambuls einen hohen Grad von Rezeptivität erlangt; daß ferner, da er seine ganze Seele auf den Magnetiseur gerichtet hat, für ihn keine andere Person, kein anderer Gegenstand mehr da ist, er auch nur (in der Regel) dasjenige wahrnehmen wird, was von seinem Magnetiseur ausgeht. So höre ich im Schlafe die stärksten Fußtritte in meinem Hause nicht, keine Musik auf der Straße, auch zuweilen selbst den stärksten Donner nicht; aber ich erwache plötzlich aus dem tiefsten Schlafe, wenn Jemand an die Hausthüre, von welcher ich ziemlich entfernt schlafe, auch nur leise klopft, weil auch im Schlafe meine Aufmerksamkeit darauf gerichtet ist, daß ich vielleicht in der Nacht aufgeweckt werden könne. Und so ist in dem magnetischen Schlafe der Magnetiseur dem Somnambul stets gegenwärtig, sie hören seine Töne, wenn andere und stärkere von ihnen nicht empfunden werden.

Verschiedene Schriftsteller machen aus dem thierisch-magnetischen Rapport eine wechselseitige enge Nervenverbindung. Beide Nervensysteme, so sagen sie, sind auf der Höhe des Somnambulismus ganz in Eins geschmolzen; der Somnambul ist ganz Rumpfnerve, der Magnetiseur ganz Gehirn. *) Wenn aber hier würklich eine so enge Nervenverbindung Statt fände, so könnte unmöglich der Magnetiseur ganz ohne Mitleiden bleiben; es müßte vielmehr von dem krankhaften Zustand der Magnetisirten mehr oder weniger auf ihn übergehen, oder doch — zumahl wenn er die Neurogamie sehr oft vornähme — sein Nervensystem endlich auf irgend eine Art affiziret werden. Dergl. bemerken wir aber niemals und daher schließen wir auch, daß der Magnetiseur bei dem Somnambulismus gar keine weitere Rolle spiele, als daß er die Crise durch seine fortdauernde thierisch-magnetische Einwürkung, und die Phantasie durch seine Reden leitet. Was von der festen Richtung seines Willens und der Figirung aller seiner Gedanken auf die Magnetisirte, von der dabei Statt findenden großen Anstrengung seiner Seelenthätigkeit gesagt wird, sind schöne, ihm vielleicht mitunter ganz nützliche Worte, die aber schon durch die Erfahrung widerlegt werden, daß bekannte Magnetiseurs einer solchen angeblichen großen Geistesanstrengung Jahrelang alle Tage vielmahl sich unterziehen, ohne dadurch weder an Geistes- noch an

---

*) Burdach Physiologie S. 275.

85

Körperkräften zu leiden. Zwar versichert man, daß, wenn der Magnetiseur seine Gedanken nicht stets auf den Somnambul richte, sondern zerstreut sey, letzterer schmerzhafte Gefühle bekomme. Allein das Wahre hievon ist wohl folgendes: der Somnambul bekömmt, wenn sein Magnetiseur zerstreut ist, schmerzhafte Gefühle, weil dadurch die fortdauernde und nothwendige thierisch-magnetische Einwürkung gehindert, die magnetische Crise unterbrochen wird. Denn woher will es die Kranke wissen, daß der Magnetiseur seinen Willen zuweilen nicht fest auf sie richtet, wenn er es doch an magnetischer Einwürkung nicht fehlen läßt, dabei aber mitunter mit seinem Geiste abwesend ist? Man sieht indessen, daß jene Herren auf eine Art von Geisterverbindung hindeuten, die sich mit ihren übrigen schwärmerischen Ansichten freilich am besten verträgt.

3. Der öfters Somnambul gewesene Kranke soll auch ohne eigentliche Manipulationen in den magnetischen Zustand verfallen können. Das wollen wir an sich gar nicht leugnen. Denn dieser magnetische Zustand ist ein würklicher ausgebildeter Krankheitszustand, eine eigenthümliche Nervenkrankheit, die mit andern Nervenkrankheiten das gemein hat, daß, wenn sie den Kranken schon öfter befallen hat, sie auch bey geringerer, selbst ohne alle bemerkbare Veranlassung, vielleicht bloß durch Würkung der Einbildungskraft, zurückkehret. Daher kann es wohl seyn, daß, wenn der Magnetiseur die höchst reizbare, durch seine Nähe schon in halber Ekstase gesetzte Kranke nur anhaucht oder ansieht, sie schon in den magnetischen Schlaf verfällt. Hysterische Krämpfe erfolgen häufig, so wie der Arzt in die Thüre des Zimmers tritt. Wenn aber die Magnetisten behaupten, man könne den Kranken selbst aus der weiten Ferne (von 100 Meilen, sagen die Franzosen) augenblicklich in Crise versetzen, wenn man nur sein Bild im Spiegel magnetisiret, oder seine Gedanken fest auf ihn richtet,

so ist dieses wieder eine Schwärmerei sonder Gleichen.
Nur allein in einer Geisterwelt, in welcher wir doch
nicht leben, wäre solche Wirkung möglich. Man lasse
Absurditäten der Art nur erst wieder den vornehmen und
geringen Einfältigen recht bekannt werden, fabrizire recht
viele sogenannte beweisende Thatsachen, so werden wir
bald wieder von Geister= und Gespenstergeschichten hören,
und uns binnen kurzer Zeit nach einem zweiten Geister=
banner Thomasius umsehen müssen.

4. Als eine der frappantesten Erscheinungen beim
Somnambulismus geben die Magnetiseurs mit Recht
an: das Hineinschauen in den eignen
Organismus, eine deutliche Ansicht des
innern Krankheitszustandes das Ver=
mögen, die Wiederkehr der Paroxismen
und den Ausgang der Krankheit, so
wie die Mittel, durch welche diese ge=
hoben werden kann, zu bestimmen. Das
wäre also ein Vermögen, welches man bis zur Ent=
deckung des thier. M. in dem Menschen nicht einmahl
ahndete, welches weit über die Gränzen der Arzneikunst
hinausginge. Fast ist es unbegreiflich, wie sich selbst
unter gebildeten Menschen, sogar unter Aerzten, die den
menschlichen Organismus kennen wollen, noch Gläubige
an solchen Ausgeburten der höchsten Schwärmerei haben
finden können. Aber diese gläubigen Aerzte sind ent=
weder selbst wahre Schwärmer oder sie haben sich in die
Netze einer hirnlosen Philosophie verfangen, oder sie sind
Gutmüthige, die ohne weitere Prüfung für wahr halten,
was in schönen Phrasen und mit kräftigen Worten ge=
sagt wird, oder sie sind Magnetiseurs. Von letzteren
soll weiterhin die Rede seyn.

Ist denn an oben angedeuteten Erscheinungen durch=
aus nichts wahr? Das wollen wir nicht behaupten;
aber nur das kann wahr daran seyn, was nicht gegen
die Möglichkeit streitet. Hiervon zuerst.

Der Mensch hat — was den Aerzten bekannt ist —

einen Sinn, der gleichsam als die Basi
anzusehen ist, das Gemeingefühl,
gen Empfindungen in sich begreift, die
Zustand unsers Körpers wahrnehmen laß
pfindungen sind lebhaft, aber dunkel, in
wenig, und am wenigsten bei einer voll
sundheit, die bestimmte Ursache des Ge
örtlichen Zustand zu unserm Bewußtseyn
Schon in gewöhnlichen Krankheitsfällen,
kraft unserer Mithülfe bedarf, spricht sich
deutlicher aus. Aber in manchen Nerve
dasselbe auf eine höchst merkwürdige We
daß die Empfindungen von dem innern
Körpers, von den Bedürfnissen desselbe
wahrgenommen, oft bis zu einem sehr h
steigert werden. Epileptische sagten (wo
Jahre in Rostock ein Fall sich ereignete)
oder schlafähnlichen Zustande, sondern i
Zeit ziemlich bestimmt voraus, wann i
eintreten, ob derselbe stärker oder schwäch
Hysterische, am St. Veitstanze Leidende
mahl genau an, wann sie ihre Anfälle b
den, jene hatten wohl dunkle Ahndun
teln, die ihnen wohl bekommen würde
Nervenkranke versicherten, ihre Gefühle
als wenn sie einen bedeutenden organis
Unterleibe hätten, welches sich nach dem
bestätigte. Solche Fälle leugnen zu wol
so viel bekannt, noch Niemand eingefalle
eben so wenig Widerspruch gefunden, wer
einem stärker aufgeregten, verfeinerten, d
Beschaffenheit des organischen Nerven
liensystems) alterirtem Gemeingefühle
Aber man hat auch beobachtet, daß weibli
die an einem hohen Grade von Hysterie li
also die drey Brennpunkte des organischen
— die Magengegend, die Verdauungs
Unterleibes und die Generationsorgane

affizirt waren, auf der Höhe ihrer Krankheit in einen
schlafähnlichen Zustand fielen, der mit dem Somnam=
bulismus, als Folge thierisch=magnetischer Einwürkun=
gen, eine große Aehnlichkeit hatte. Sie redeten in ihren
Paroxismen von selbst und auf Befragen; sie sagten
viel Sonderbares und mit den Träumereien der Som=
nambuls so ziemlich Uebereinstimmendes von sich und
ihrem körperlichen Zustande aus; sie recitirten mit der
größten Fertigkeit ganze Stellen aus Dichtern, welche
sie seit Jahren nicht gelesen hatten (eine Metaphysik
diktirte aber keine von ihnen). Bei den mehrsten Som=
nambuls, deren Krankheitszustand bekannt geworden,
ist ein hysterischer Zustand, oder doch eine excentrische
Reizbarkeit des ganzen Nervensystems, unverkennbar.
Hier wird nun durch thierisch=magnetische Manipulatio=
nen ein, dem eben erwähnten ähnlicher Nervenzustand,
der sich besonders durch erhöhete Thätigkeit des Gang=
liensystems auszeichnet, wobei jedoch die Thätigkeit des
Hirns und der zunächst von ihm ausgehenden Nerven
bedeutend verändert ist, hervorgebracht. Stärker muß
in dem Somnambulismus die Affection des gesammten
Nervensystems, namentlich des Ganglien systems seyn,
als bei dem ohne alle thierisch=magnetische Einwürkung
entstandenem schlafähnlichen Zustande; denn die Erschei=
nungen sind bei jenem viel stärker und mannigfaltiger.
Beide Zustände scheinen aber auf einer gleichen, nur
gradativen Affection des ganzen empfindenden Systems,
namentlich des Gemeingefühls zu beruhen. Dieses ist
durch sein in hohem Grade ergriffenes Organ verfeinert,
das Perzeptionsvermögen für diejenigen Empfindungen,
die sonst dunkel bleiben, erhöhet; die Seele erkennt den kör=
perlichen Zustand heller und deutlicher. Aber unmöglich
können Eindrücke, welche auf diesem Wege zu unserer
Vorstellung kommen, jemals so deutlich werden, als
die durch die höhern Sinne aufgenommenen. Denn
dazu bedürfte es theils eines andern Baues der Organe
des Gemeingefühls, theils einer genauern Verbindung
mit dem Organe der Seele. Nicht so, wie die Cerebral=

sinne direct aus der Hirnmasse ihre Nerven erhalten, und dadurch mit derselben in der genauesten Verbindung stehen, ist auch das Gangliensystem mit dem Gehirn verbunden, sondern die Verbindung beider wird erst durch den herumschweifenden Nerven, der erst wieder in den Stimmnerven übergeht, vermittelt. Dadurch wird schon das Gangliensystem in einem gewissen Grade unabhängig und unserer Willkühr entzogen. Außerdem aber hemmen die Ganglien selbst die Fortpflanzung der Nerventhätigkeit zum Gehirn, sie eximiren also die Theile, deren Nerven sie vereinigen, von dem Bewußtseyn und der Herrschaft des Willens, und sichern hiedurch den gleichmäßigen Fortgang der für die Existenz des Organismus unentbehrlichen Funktionen vor den Unterbrechungen durch Willkühr. Es ist daher sehr leicht erklärlich, weßhalb alle Sensationen, welche wir durch das Gemeingefühl gelangen können, nie so deutlich zu unserm Bewußtseyn gelangen können, als die, welche wir durch Hülfe der höhern Sinne erhalten: wenn jene freilich eben so gut, als diese, bis zu einem gewissen Grade gesteigert werden können. Wenn Alles dieses wahr ist, wie es hoffentlich kein Physiologe leugnen wird, so kann auch schlechthin nicht zugegeben werden, daß der Somnambul so starke und deutliche Sensationen durch Hülfe des Gemeingefühls erhält, wie die Anhänger des thier. M. vorgeben; daß er sein Innerstes gleichsam zu betasten, wir wollen lieber sagen, anzuschauen vermöge; daß sein innerer Zustand ihm so klar sey, daß er selbst die Narben der Geschwüre, die vor eilf Jahren am Herzen sich befunden, sehen könne. „Aber die Clairvoyants verordneten sich selbst Arzneimittel, und wurden anscheinend durch diese geheilt; sie mußten also doch wohl von ihrem Krankheitszustande Kenntniß haben." Das folgt noch lange nicht, denn das Nennen eines Heilmittels ist ja noch kein Beweis der Kenntniß des Krankheitszustandes. Anscheinend ist es auch würklich nur, daß die von den Somnambuls zuweilen sehr dunkel angedeuteten Heilmittel zu der Besserung, wie Ursache zur Wúrkung sich verhalten haben sollten. Manchmahl waren solche Mittel auch schon früher angewandt worden, und hatten gar nicht nachtheilig, mitunter sehr vortheilhaft gewürkt; manchmahl waren es so unbedeutende, so unkräftige Dinge, daß man von ihrer Anwendung gegen ein großes, gewöhnlich sehr tief liegendes Uebel unmöglich etwas erwarten konnte. Was aber die anderweitige, besonders psychische Behandlung, die bekanntlich in Nervenkrankheiten von so großer Wichtigkeit ist, was selbst die magnetischen Crisen mitgewürkt, vielleicht häufig größtentheils allein gewürkt haben, das wird gewöhnlich übersehen, dessen wird nicht gedacht, entweder weil die Magnetiseurs nach ihrer individuellen Ansicht keinen großen Werth darauf legen, oder weil es das Wunderbare des höhern Somnambulismus in Etwas aufhebt. Eine völlig klare und deutliche Ansicht des innern Körpers und des Krankheitszustandes kann man also, wenn man nicht aller Physiologie Hohn sprechen will, im Somnambulismus durchaus nicht annehmen. Gefühle, die außer diesem Zustande dunkel waren, können jetzt deutlicher perzipirt werden, und die höchst angespannte Phantasie des Kranken kann diese Gefühle nun ausmahlen, so ungefähr, wie wachende Menschen, deren Gemeingefühl sehr stark, und deren Einbildungskraft sehr lebendig ist, kleine an sich unbedeutende körperliche Uebel so ausmahlen, daß man nach ihrer Schilderung eine große verwickelte Krankheit vor sich hat. Mehr können wir durchaus nicht zugeben; eine klare Vorstellung des Somnambuls von seiner Krankheit leugnen wir, denn sie ist aus der Natur des menschlichen Organismus nicht zu erklären, die Möglichkeit einer solchen Vorstellung schlechterdings nicht zu begreifen.

Auffallend ist es, welchen hohen Werth die Anhänger des thier. M. auf die Aeußerungen der Clairvoyants über den Punkt des Beschauens der innern Theile legen. Ob diese Aussagen in allen Fällen so geschehen sind, wie uns berichtet wird, und wie man es besonders den fran-

zöfifchen Magnetifeurs zu glauben, wohl nicht allgemein
geneigt feyn wird; ob fie nicht vielmehr von dem für
feine Sache zu ftark eingenommenen, und daher felten
mit der nöthigen Unbefangenheit fehenden, präfenden
und urtheilenden Magnetifeur ganz anders gedeutet find:
das ift eine fehr große Frage. Gefetzt aber auch, jene
Ausfagen wären ganz fo, wie uns berichtet wird, ge=
fchehen: kann man in denen, die das Innere des Clairvoyant betreffen, wohl etwas anders, als die Ausbrüche
einer erhitzten Phantafie finden? „Ich fehe, fagt ein
folcher Clairvoyant, das Innere meines Körpers, alle
Theile fcheinen mir durchfichtig, und von Licht und
Wärme durchftrömt; ich fehe in meinen Adern das Blut
fließen, bemerke genau die Unordnung in dem einen oder
andern Theile, und denke aufmerkfam auf Mittel, wodurch
diefelben gehoben werden können?"*) Wer verkennt hier
die Schwärmerin, und wie kann man einen folchen Fall
zum Beweife der würklichen innern Anfchauung anfüh=
ren? Wenn aber von andern Clairvoyants erzählet
wird, fie hätten die innere Befchaffenheit ihres Körpers
mit anatomifcher Genauigkeit angegeben, und wenn
felbft Aerzte uns überreden wollen, daß dem würklich fo
fey, wenn fie es im Ernfte glauben oder zu glauben
fcheinen: fo muß man erftaunen, lächeln, bedauern.
Erftaunen muß man, daß fo etwas jemals Glauben
finden konnte, und zwar felbft bei denkenden Männern.
Die gemeine Erfahrung belehret uns, daß wir armen
Sterblichen von keiner Sache in der Welt durch höhere
Eingebung etwas wiffen; alle unfere Kenntniffe müffen
wir uns erft nach und nach erwerben, wir müffen le r=
n e n. Der junge Arzt ftudiret mehrere halbe Jahre
die Anatomie, und kann, trotz des größten Fleißes,
doch kaum die vielen Namen, den Bau und die Lage
aller ihm genannten Theile auffaffen und im Gedächt=
niffe behalten. Das, was er fich durch öfteres finn=
liches Anfchauen und durch Unterricht zu eigen gemacht

---

*) Kluge a. a. O. S. 164.

hat, das soll nun auch der Clairvoyant wissen, obgleich
er niemals anatomischen Unterricht erhalten hat. Frägt
man: woher kann er es wissen, so ist die Antwort:
„vermöge des Hellsehens!" Was ist das Hellsehen
aber, wie ist es möglich? „Das weiß ich nicht, wie
Vieles in der Welt; genug es existirt, denn der und der
Kranke ist in einem solchen Zustand gewesen, und hat
erzählt, wie es in seinem Körper aussieht." Und mit
solcher Abfertigung soll der denkende Mensch zufrieden
seyn? Er soll seine Vernunft durchaus gefangen neh=
men, blind glauben, das Ungereimteste, was aller
menschlichen Erfahrung entgegen ist, weil — die soge=
nannten Clairvoyants jene Aussagen in Gegenwart
nicht bloß des Magnetiseurs, sondern auch anderer Men=
schen, würklich gethan haben. Was die Richtigkeit der
Angabe des Sonnambuls über ihren Krankheitszustand
betrifft, so ist bereits erinnert worden, daß gerade davon
die Gewißheit fehlt. Was aber die Aussagen derselben
über die innere Beschaffenheit ihres Organismus betrift,
so recensire man doch einmahl solche Aussagen. Ein
Sonnambul sagt: „er sähe neben dem Rückenmark
und mit demselben parallel, zwei sehr feine Fäden lau=
fen;" und gleich setzt Herr Kluge hinzu: „Die Be=
zeichnung des Intercostalnerven ist hier nicht zu verken=
nen." Der Sonnambul fährt weiter fort: „außer
diesen hellen Linien sey auch die Herzgrube ganz hell; es
seyen hier eine Menge Fäden, und einige ausgezeichnete
hellere, größere Stellen," und Hr. Kluge commentirt;
„die großen Nervenplexus." In der That! eine herr=
liche Interpretationsmanier, bei welcher freilich gar
lustige Geschichten zum Vorschein kommen können. Die
Beschreibungen, welche uns die sogenannten Clair=
voyants von den innern Theilen des menschlichen Kör=
pers machen, sind überhaupt so dürftig und der Inter=
pretation bedürftig, daß man sich nicht genug darüber
verwundern kann, wie manche Magnetiseurs so enragirt
für ihre Sache seyn können, daß sie „von der vorzüg=
lichen Deutlichkeit, mit welcher die Clairvoyants einen

jeden Theil durchschauen und angeben" sprechen können. So beschrieb eine solche somnambule Späherin das Herz als einen hellgrauen Körper, der sich immer kreisförmig bewege und sehr warm sey, Leber und Milz seyen marmorirt. Das zum Theil Unrichtige dieser Angabe ganz bey Seite gesetzt, was geht daraus anders hervor, als: die Kranke hat von der Bewegung des Herzens und dem Kreislaufe des Blutes etwas gehöret, Leber und Milz eines warmblütigen Thieres einmahl gesehen. Nun fragt sie der Magnetiseur: „nehmen Sie nicht wahr, wie es in Ihrem Körper aussieht?" (In der Regel wohl keine Antwort.) Er fragt bestimmter: „steht Ihr Herz still oder bewegt es sich?" „Es bewegt sich kreisförmig (!!) „Wie sieht es aus?" Grau. „Wie sehen Ihre Leber und Milz aus? Etwa marmorartig?" Ja! Und nun heißt es in der Krankheitsgeschichte, wie oben. Wüßte man doch immer nur genau, wie der Magnetiseur seine Fragen an die hellsehende Freundinn gerichtet, was er suppeditiret, wie jene geantwortet, wie er interpretiret hätte, so würde das Wunderbare und Unbegreifliche in den Reden der Somnambuls bald zu Nichts werden.

Mehr durch Erfahrung scheinet es bestätiget zu seyn, daß manche Somnambuls, aber doch auch nicht alle, ziemlich richtige Ahndungen von dem Ausgange ihrer Krankheit und der Wiederkehr ihrer Paroxismen haben. Aber das ist gerade nicht das Frappanteste bei den Erscheinungen des Somnambulismus und demselben ausschließlich eigen. Aehnliche Voraussagungen geschahen, bei einem von selbst entstandenen, und nach und nach sich ausgebildeten Somnambulismus, der fünf volle Wochen anhielt, und von drei bekannten Aerzten beobachtet ist. Diese somnambule Kranke, deren Geschichte, nebst einigen andern von periodischem Somnambulismus, an einem andern Orte mitgetheilet werden soll, gab den Tag, wann sie aus ihrem schlafähnl. Zustande erwachen würde, an, ohne deßwegen befragt zu seyn. Ueber die bei ihr anzuwendenden Heilmittel sagte

indeſſen eben ſo wenig, als über die innere Beſchaffen=
heit ihres Körpers, etwas aus; aber ſie hatte dieſelbe
Eigenthümlichkeit, wie die durch thieriſch = magnetiſche
Einwürkung ſomnambul gewordenen Perſonen, daß ſie
ſich deſſen, was ſie während ihres Nervenübels geſpro=
chen hatte, was mit ihr vorgegangen war, durchaus
nicht mehr erinnerte. Wir leugnen alſo keinesweges,
daß im Somnambulismus zuweilen Vorherſagun=
gen geſchehen, die auch mitunter zutreffen mögen. Aber
wir reduciren dieſelben auf Ahndungen, durch das
aufgeregte Gemeingefühl veranlaßt, und halten das Zu=
treffen für Zufall. Manche Somnambuls ſagten würk=
lich das Ende ihrer Krankheit ſehr genau voraus; bei
andern aber traf die Zeit keinesweges zu; viele ſagten
hierüber gar nichts aus. So irrten auch die Kranken
bei ihren Vorausſagungen über die Zeit der Wiederkehr
der Parorismen ihrer Krankheit und des magnetiſchen
Schlafes. Mir iſt ein Fall bekannt, wo der Magnet=
ſeur um der Ungläubigen willen, ſich alle mögliche Mühe
gab, das Eintreffen der Prophezeiung, daß der heftige
hyſteriſche Parorismus am nächſten Nachmittage um
5 Uhr ſich einſtellen würde, ſo eigentlich zu erzwingen:
und doch glückte es nicht. Und wie oft hat der Magne=
tiſeur wohl nicht auf das würkliche Eintreffen einen ent=
ſchiedenen Einfluß, ſey es mittelbar, oder unmittelbar,
gehabt? Wie oft iſt er wohl nicht ſelbſt getäuſcht?
Denn es gibt auch gewiß recht eitle Somnambuls, die
gar zu gerne Aufſehen erregen wollen, und deren Eitel=
keit ſelbſt aus den uns mitgetheilten magnetiſchen Ge=
ſchichten auffallend hervorleuchtet.

Was die übrigen Ausſagen der Somnambuls von
ihrem zukünftigen Zuſtande, und von dem, was andere
begegnen werde, betrifft, ſo darf man ungeſcheut be=
haupten, daß ſie Ausbrüche einer erhitzten, regelloſen
Phantaſie ſind, von dem Magnetiſeur nach Belieben in=
terpretirt. Mehrentheils ſind die Somnambuls recht
nervenſchwache Frauenzimmer, die ſchon wegen der gro=

6

ßen Reizbarkeit ihres Nervensystems sehr le
zu setzen sind. Ihre Phantasie ist währen
tischen Crise in hohem Grade angespannt;
sich in einem traumähnlichen Zustande, u
diesem über Dinge befragt, woran sie vorhe
und so thun sie denn — wohl verstanden
des Magnetiseurs – Aussagen, die ebe
componirt sind, als wärkliche Träume. T
netische Traum nicht ein, so wird man di
bekannt werden lassen; trifft er aber wü
einem wahren Traume, einmahl zufällig ei
man in der ganzen Stadt das Wunder ai
den merkwürdigen Fall auch wohl in we
künstelter Begeisterung. Würde man jed
bul so weit ganz sich selbst überlassen, i
sprechen ließe, ohne zu fragen, und ohne s
samkeit dahin zu leiten, wohin man sie
ohne in ihn zu dringen, über seinen Zustar
klären; würde man dabei die Phantasie
gar nicht anzuspannen bemühet seyn, und
hüten, Verwunderung zu äußern und Sta
rathen, so würde man von den sogena
voyants solche Orakelsprüche sicher nicht ver
sie in der Begeisterung aus ihrem Munde g

5. Wenn nun schon die Behauptung
des thier. M. von dem Hineinschauen der C
in ihren eignen Körper, als ungereimt e
weiß man, was von dem vorgeblichen J
des Somnambuls in andere, mit ihm in
setzte Personen, zu halten ist. Es ist wür
toll, was nicht in unsern sogenannten auf
ten exaltirte Menschen, Schwärmer, P
hauptet haben; aber die Behauptung der
ten Eigenschaft des Somnambuls ist doch
das Tollste, was seit Erschaffung der Welt
ist. Was werden unsere Nachkommen de
sie lesen, daß sogar Männer, die öffentli

bekleiden, solche abentheuerliche Dinge geprediget haben.

Der Raum verbietet es, den Gegenstand weiter zu verfolgen. Zum Schluffe nun noch einige Worte über die Anwendung des thierischen Magnetismus als Heilmittel.

Daß durch den thier. M. Krankheiten geheilt werden können und auch würklich geheilt worden sind, darf durchaus nicht bezweifelt werden. Es sprechen dafür viele und unverdächtige Zeugnisse, wir hören und sehen beinahe an allen Orten Fälle von solchen gelungenen Curen, die selbst sogar von Menschen, denen die Entdeckung des thier. M. an sich ganz fremd geblieben ist, unternommen wurden: es würde mithin lächerlich seyn, mit manchen Aerzten zu sprechen, „die thierisch=magnetischen Curversuche beruheten bloß auf Charlatanerie, und wenn dabei ja etwas würksam sey, so möge dieses die Einbildungskraft des Kranken seyn.‟ Solche Aussprüche beweisen wenigstens, daß es manchen Aerzten an gereifter Einsicht, Nachdenken, besonnener Prüfung und Beurtheilung mangelt: häufig mögen sie aber auch wohl aus unedlen Absichten geäußert werden.

Wenn ich aber hier dem thierischen Magnetismus Heilkraft zuerkenne, so gilt dieses bloß von den unmittelbaren Einwürkungen des Magnetiseurs auf die Magnetisirte, keinesweges von den magnetischen Substituten, der Batterie, dem Glase, den Bäumen u. dgl. m. Bei den erstern wird der Magnetisirten von dem Stoffe, der aus dem Körper des Magnetiseurs entweicht, also von einem thierischen Stoffe, würklich etwas mitgetheilt; dabei würkt zugleich die Berührung der leidenden Stellen durch die warme Hand des Magnetiseurs, sey es durch bloßes mehr oder minder starkes Streichen und Reiben, oder durch Kneten, Drücken u. s. w.

Alles dieses fällt bei den magnetischen Substituten weg. Es kann, wie auch vorhin schon gesagt worden,

6*

denselben nichts Thierisches mitgetheilt werden, was an
sie so haftete, daß dieselben Würknngen dadurch hervorgebracht würden, als durch die unmittelbaren Manipulationen des Magnetiseurs; und eben so wenig
können jene Körper durch das Spargiren u. s. w. des
Magnetiseurs so verändert werden, um auf den Körper
eines andern Menschen einen Effect hervorzubringen.
Daß die Atmosphäre eines Baumes im Frühlinge auf
ein schwaches Nervensystem Eindruck machen könnte,
wäre allenfalls zuzugestehen; allein dann geschähe dieser
Eindruck doch nicht vermöge des durch die Umarmung
des Magnetiseurs dem Baume mitgetheilten thierischen
Stoffes, sondern durch die Ausdünstung des Baumes.
Weg also mit den magnetischen Substituten! —

Daß wir nicht wissen, wie der thierische Magnetismus würkt, kann ihm zu keinem Vorwurfe gereichen;
wir wissen dieses bekanntlich von einer großen Anzahl
von andern Heilmitteln, deren Anwendung wir darum
aber nicht tadeln, eben so wenig. Daß wir die Fälle
noch nicht kennen, in welchen, und die besondern Bedin-
gungen, unter welchen der thierische Magnetismus etwas
zu leisten vermöge, das liegt an der zu geringen Erfahrung, welche wir von demselben haben, und das ist ja
immer der Fall bey neu entdeckten Heilmitteln: Für ein
Universalmittel ihn zu halten, zu behaupten: „daß in
„dem Sinne der Mesmerschen Lehre und Methode alle
„mögliche Arten von Krankheit behandelt werden können,
„und daß ja nur aus dem ächten Mesmerismus die
„Erhaltungskunde des Menschen, die wahre Heilkunde
„hervorgehe: *)“ das kann nur der Schwärmerei oder
gemeinen Empirie einfallen.

Bey dem Urtheile über die Zulässigkeit der Anwendung des thier. Magnetismus muß man übrigens wohl

---

*) Mesmerismus v. F. A. Mesmer. Vorrede von K. C.
Wolfart. S. XXI. — Es wird sogar schon auf einer
großen Universität die allgemeine Heilwissenschaft nach
nach den Grundsätzen des Mesmerismus gelehret!!!

unterſcheiden: den thieriſchen Magnetismus in ſeinen geringern und in ſeinen höhern Graden.

1. Der thieriſche M. in ſeinen geringern Graden wird entweder bloß örtlich angewandt, oder es findet eine allgemeine Anwendung auf den ganzen Organismus Statt.

a) Oertliche Anwendung des thieriſchen M. durch Streichen, Drücken, Kneten eines leidenden Theils. Daß hiedurch mancherlei körperliche Uebel, gichtiges Kopfweh, Hüftſchmerz, Fußgicht, Rheumatismen, gehoben worden ſind, davon habe ich Beweiſe genug, und noch erſt kürzlich iſt mir ein merkwürdiger Fall der Art von dem Hrn. Dr. Plotzius in Sülz mitgetheilt worden, wo unter ſeinen Augen, ein Schäfer eine Iſchiatik durch drei Tage fortgeſetztes Betaſten (Streichen längs der Hüfte, Reiben und Kneten) ſo vollkommen heilte, daß der Kranke ſchon am fünften Tage ohne alle Schmerzen gehen konnte. Fälle der Art, von einem vorurtheilsfreien, hellſehenden Arzte erzählt, haben volle Beweißkraft, und ſie ſind allerdings auf Rechnung der thieriſch-magnetiſchen Einwürkung zu ſchreiben. Warum iſt aber nicht Jeder im Stande, ſolche Würkungen auf andere Menſchen hervorzubringen? Aus demſelben Grunde nicht, warum überhaupt nicht jeder Arzt zum Magnetiſeur geſchickt iſt. Was eigentlich dazu erfordert wird, weiß ich nicht; und wenn die Magnetiſeurs vorgeben, ſolches zu wiſſen, ſo irren ſie ſicher. Das es, außer etwas Individuellem, zugleich auf ein gewiſſes kunſtmäßiges, durch Uebung erworbenes Betaſten ankomme, darf man wohl annehmen. So hob ein bekannter Müller hier im Lande einen gichtiſchen Kopfſchmerz, der allen Mitteln geſpottet hatte, dadurch, daß er von dem Mittelpunkte des Schmerzes nach der Peripherie ſanfter und ſtärker ſtrich (wobei der Kranke die Empfindung hatte, als wenn Feuer unter der Haut fortlief), dann die Kopfhaut ſo ſtark in die Höhe zog, daß die Augen von dem obern Deckel ganz entblößt waren. Man leugne alſo solche Fälle doch nicht immer frisch weg, weil sie der bisherigen Behandlungsart so sehr widersprechen und zuweilen etwas Unerklärbares mit sich führen. Alles unser medicinisches Wesen beruhet auf Erfahrung; es liegt noch unendlich viel im Dunkeln verborgen, was erst die Zeit aufhellen wird; und sehr wahrscheinlich lernen unsere Nachkommen noch Kräfte in der Natur kennen, von welchen wir nicht einmahl eine Ahndung haben. Statt solche Fälle, wo ein Nichtarzt durch Betastungen mancherlei Uebel heilte, zu bespötteln oder frischweg zu leugnen, versuchen es die Aerzte, ähnliche Krankheiten auf ähnliche Art zu heilen, und ihre Beobachtungen werden zu ganz andern, zu fruchtbringendern Resultaten führen, als die Erfahrungen eines Müllers und Schäfers.

b) Die allgemeine thierisch = magnetische Behandlung des geringern Grades kann, wie die Erfahrung lehret, gleichfalls in mancherlei Krankheiten von Nutzen seyn. Aber man sollte mit dieser Anwendung des thier. M. schon sehr behutsam zu Werke gehen, weil der Uebergang zu den höhern Graden desselben nicht immer zu verhüten ist. Ihn empirisch gegen jedes vorkommende chronische Uebel anzuwenden, ist durchaus nicht zu billigen, am wenigsten dann, wenn noch andere Heilmittel, die wir bereits aus Erfahrung kennen, uns zu Geboten stehen. Wer kann dem Magnetiseur dafür bürgen, daß nicht sehr bald, vielleicht nach wenigen magnetischen Sessionen, die Erscheinungen des höhern Grades des thier. M. erfolgen, wenn diese von ihm auch gar nicht beabsichtiger werden? Gesetzt, es käme auch bloß bis zum magnetischen Schlafe; ist dieser denn immer wohlthätig? Bekommt er nicht den Kranken häufig sehr übel? Verschlimmerte er die Krenkheit, um deren willen man magnetisirte, nicht zuweilen sehr bedeutend, brachte er sie wohl nicht oft bis zu einem sehr hohen Grade, der alsdenn durch die gewöhnliche Methode wieder herabgestimmt werden mußte? Mögten doch die

Magnetiscurs diese Fragen etwas mehr beherzigen, als gewöhnlich geschieht; mögten sie insbesondere das Individuum, bei welchem sie den Magnetismus anwenden wollen, doch ja mit der größten Vorsicht prüfen, besonders aber den Grad seiner Receptivität, die Stärke seiner Phantasie kennen lernen; und mögten sie, wenn sie mit überwiegendern Gründen sich, für die thierisch-magnetische Behandlung erklären, dabei stets mit größter Vorsicht verfahren, und da schnell wieder einlenken, wo sie schon frühzeitig starke Affection der Seelenthätigten gewahr werden. Schon die Ueberzeugung, die denn doch wohl jeder besonnene Magnetiseur hat, daß man die Fälle, in welchen der thierische Magnetismus etwas zu leisten vermöge, noch gar nicht mit Zuverläßigkeit kennet, müssen jeden Arzt zur Vorsicht bei seiner Anwendung bestimmen, und das Mittel selbst da stets ausschließen, wo auf andere Weise die Heilabsicht erreicht werden kann.

2. Den thierischen Magnetismus bis zu seinen höhern Graden anzuwenden, dazu kann den Arzt nur der einzige Fall bestimmen, wenn nämlich in großen körperlichen Uebeln alle andere Mittel ohne irgend einen Nutzen, vielmehr mit sichtbarer Verschlimmerung der Krankheit angewendet worden sind, und es augenscheinlich ist, daß bei längerer Fortdauer derselben Lebensgefahr eintreten kann. Unverantwortlich bleibt es, den Somnambulismus gleichsam erzwingen zu wollen, etwa um frappante Erscheinungen zu beobachten, und dadurch den Kranken in Gefahr zu stürzen. Denn immer bleibt der thierische M. in seinen höhern Graden ein Mittel, welches auf die Seelenthätigkeiten mächtig eingreift, Hirn und Nervensystem heftig afficirt. Bekannt ist es ja, daß seine Anwendung Wahnsinn und mancherlei Seelenleiden, convulsivische und andere Nervenübel zur Folge gehabt hat. Mit einem solchen Mittel, dessen gradative Würkung nicht einmahl in unserer Gewalt ist, muß man nie spielen, und wenn man auch noch so große Lorbeeren dadurch erwerben könnte.

V.

Ueber die Nothwendigkeit
der
allgemeinen Verbreitung des Unterrichts
zur Rettung
in plötzlichen Lebensgefahren.

Vom H. —

Es ist eine niederschlagende Bemerkung, daß die wenigen glücklichen Fälle von Rettung Ertrunkener, Erstickter, Erfrorner u.s.w. in keinem Verhältnisse mit der großen Anzahl von Menschen stehen, die nach Angabe der Mortalitätslisten überall verunglücken. In manchen Gegenden hört man nie oder doch in vielen Jahren nicht ein einziges Beyspiel von der Rettung eines Menschen, obgleich es an Anstalten hiezu und an Verordnungen, in welchen das Verfahren mit den Verunglückten aufs Genaueste angegeben ist, keinesweges fehlet. Aber alle Anstalten, alle Rettungsapparate helfen nichts, wenn der öffentliche Arzt jene nicht zu beleben versteht, diese nicht anzuwenden weiß oder zu bequem dazu ist; und durch bloße Verordnungen ist noch nie ein Verunglückter wieder ins Leben gebracht worden. Der Britte hält sich bey ausführlichen Verordnungen nicht auf, aber seine Anstalten sind vortreflich eingerichtet, und kräftig geleitet; daher die Fälle von Rettung Verunglückter in England auch gar nicht selten sind. Es ist bekannt, daß die human Society in London in zehn Jahren 1158 Er=

trunkene dem sichern Tode entrissen hat. Welch' ein Gewinn ist ein solcher Menschenbeytrag für den Staat und für die Bevölkerung überhaupt.

In Deutschland schreibt man viel mehr, als in England, man handelt aber viel weniger. Wie groß ist nicht die Anzahl der Schriften über die Behandlung Verunglückter, und in welchem seltsamen Contraste hiemit steht es, daß die würkliche Rettung eines Verunglückten so selten ist, daß man sie als ein halbes Wunder in allen Zeitungen ausposaunet. Doch hat man in neuern Zeiten auf diesen Gegenstand etwas mehr aber noch lange nicht hinreichende Aufmerksamkeit gerichtet. Und was würklich zur Rettung des zweifelhaften Menschenlebens geschehen ist, das ist durch besondere Humanitäts=Verbindungen edler Menschen zu dem besagten Zweck geschehen. Segnen muß daher jeder patriotische Deutsche die vortreflichen Rettungsanstalten der Hamburger Gesellschaft zur Beförderung nützlicher Künste und Gewerbe, der Lübecker Gesellschaft zur Beförderung gemeinnütziger Thätigkeit, der Ostpreußischen Humanitäts=Societät. Die menschenfreundlichen Bemühungen dieser ehrwürdigen Gesellschaften wurden durch die Erhaltung einer großen Anzahl von Menschen belohnt. Indessen genießen dieses Glück nur einzelne Provinzen oder Gegenden, so weit der Würkungskreis solcher patriotischen Verbindungen sich erstreckt, da hingegen fast in allen andern Provinzen unsers deutschen Vaterlandes Hunderte und Tausende verunglücken, ohne daß es große Aufmerksamkeit erregt. Gleichgültig und kalt lieset man die Nachrichten von Ertrunkenen, Erstickten u.s.w. in öffentlichen Blättern, ohne daran zu denken, daß viele dieser Menschen durch ein zweckmäßiges Verfahren gerettet werden konnten. Selten findet man allenfalls bey solchen Nachrichten angegeben, ob und welche Rettungsmittel versucht worden sind?

Wie sehr wäre daher eine allgemeine Verbreitung des Rettungsunterrichts zu wünschen! Um einen so großen

und nützlichen Zweck zu erreichen, sollte man Alles anwenden; es sollten sich hiezu, wenn der Staat nichts thun
will, patriotische Männer, namentlich in den an Seen
oder Flüssen gelegenen Orten, verbinden; es sollten aller
Orten Humanitäts = Gesellschaften entstehen, deren Geschäft es auch wäre, für die Verbreitung eines solchen
Unterrichts in ihrem Würkungskreise zu sorgen. Man
würde dann aus der Indolenz erwachen, und bey jedem
Falle eines verunglückten Menschen sorgfältiger, wie
bisher, nachfragen, ob und welche Hülfe ihm geleistet
worden sey? Es läßt sich selbst ein moralischer Nutzen
für die Veredlung des Menschengeschlechts davon erwarten: man würde nämlich Menschenleben
mehr zu schätzen anfangen. Die glücklichen
Fälle der Wiederherstellung würden eben so viele neue
Ermunterungen zur Beförderung wahrer Humanität
seyn. Gewiß! ein großer Gewinn für die Menschheit!

Um den Unterricht über die Behandlung Verunglückter allgemein zu verbreiten, müßte man vornämlich dem
gemeinen Manne richtige Begriffe über Menschenwerth
zu geben suchen; und dahin müssen vor Allem die Prediger würken. Sie und die Aerzte sollten sich die Hände
bieten, um das Volk über die Pflicht der Menschenret-
tung aufzuklären. In Schulen, woher alle Veredlung
des Volks ausgeht, sollte die Anweisung über die Rettungsmittel einen vorzüglichen Theil des Unterrichts
ausmachen, und es könnten am Schlusse der Religions-
bücher kurze und deutliche Anweisungen zur Nothhülfe
gegeben werden. Zeitungen und Zeitschriften sollten vornämlich der glücklichen Rettungsfälle, mit dankbarer
Nennung des Retters, erwähnen.

Aber in jedem Dorfe sollte sich ein Exemplar der
Struveschen Noth = und Hülfstafeln befinden, damit nach Vorschrift derselben jedem Verunglückten schnelle Hülfe geleistet werden könnte.

VI.

Warnung vor einem im Branntwein enthaltenen Gifte.

Daß der Branntwein an sich ein sehr gefährliches Getränk sey, ist so ziemlich allgemein anerkannt; weniger aber, daß er auch dadurch der menschlichen Gesundheit nachtheilig werden könne, daß er durch Unwissenheit und Nachlässigkeit in den Brennereien oft mit Kupfertheilchen oder mit Grünspan verunreiniget, und durch diese Verunreinigung nun langsam schleichendes Gift wird. Die zerrüttete Verdauung, die Magenkrämpfe und Coliken, das allgemeine Uebelbefinden der Branntweintrinker entstehen höchstwahrscheinlich von jenem in dem so häufig genossenen Branntweine befindlichem Kupfergifte. Die Schädlichkeit eines kupferichten Branntweins würkt aber um desto schlimmer und anhaltender, je unbekannter sie bleibt, und je weniger man ihr entgegenzuarbeiten sucht. Den Branntweinbrennern ist diese schädliche Beymischung oder verborgene Vergiftung ihrer Branntweine mehrentheils unbekannt; sie fehlen und schaden aus Unwissenheit oder Unachtsamkeit. Rechtschaffenheit und Menschenliebe fordern es indessen von ihnen, ihre Branntweine vor jeder schädlichen Verunreinigung zu sichern.

Diese schädliche Verunreinigung mancher Branntweine mit Kupfertheilchen oder mit Grünspan rührt von den kupfernen Röhren des Helms und der Kühltonne her. Die Blase oder der Kessel mag immerhin von Kupfer seyn, der daraus abgezogene Branntwein nimmt

nichts von Kupfer mit sich über in den Helm. Aber in
den Röhren des Helms und der Kühltonne, durch welche
der mit vielen sauren Theilen vermischte Geist oder
Branntwein geht, wird gewiß immer etwas von Kupfer
aufgelößt, und mit in der Vorlage abgeschwemmt wer=
den. Diese Auflösung und Abspülung des Kupfers in
den Röhren während des Abgießens oder der Destilla=
tion ist zwar von geringer Bedeutung und von minderer
Gefährlichkeit; aber nach jeder Destillation bleiben diese
Röhren inwendig von dem halbsauren Geiste feucht und
naß; in der Zwischenzeit wo die Blase ruht, tritt die
Luft, die selbst Theile enthält, wodurch das Kupfer an=
gefressen wird, dazu, und es legt sich in der ganzen
innern Oberfläche der Röhren eine Rinne von würklichem
Grünspan an, die bey der nächsten Destillation nach und
nach abgespült, in die Vorlage gebracht und also mit
dem Branntwein vermischt wird. Je länger die Röhren
und vorzüglich, wenn sie schlangenförmig und mithin
schwer zu reinigen sind, desto mehr Grünspan setzt sich
in ihnen an. Das grünliche Aussehen des sogenannten
Vorlaufs ist Beweis von dem in den Röhren befind=
lichen und aufgelösetem Grünspan; dieser Vorlauf hat
aber nicht allen Grünspan aufgelößt und abgespült,
sondern es bleibt mehrentheils noch viel davon zurück,
welches nachher von dem übergehenden Branntwein nach
und nach aufgelößt und aufgenommen wird. Die Klar=
heit und Wasserhelle der Branntweine ist nichts weni=
ger, als ein Beweis von ihrer Reinheit und Unverdäch=
tigkeit; das Kupfer verbirgt sich, und verräth sich nicht
immer durch eine bläuliche oder grünliche Farbe der
Festigkeit, worin es enthalten ist.

Den Branntweinbrennern ist es Pflicht der Mensch=
lichkeit, alle Sorgfalt anzuwenden, daß ihre Branntweine
rein übergehen. Darum muß nach jeder vollbrachten
Destillation der Helm der Blase so ins Wasser gelegt
werden, daß seine Röhren völlig damit angefüllt werden;
die Kühlröhren müssen unten durch hölzerne Zapfen, die
mit Leinewand umwickelt sind, wohl verstopft, alsdann

mit Wasser angefüllt werden, und so bis zur nächsten
Destillation stehen bleibev. Soll nun wieder eine Destil=
lation vorgenommen werden, so läßt man das Wasser
aus den Kühlröhren heraus, und wischt sowohl diese,
als auch die Röhren des Helms mit einer Art von
Flintenputzer recht rein aus. Schlangenförmige Röhren
kann man vermittelst eines Bindfadens reinigen, an
dessen einem Ende eine bleyerne Kugel und an dem
andern ein Wischer oder ein Bausch von Leinewand oder
Heede befestiget ist; man läßt alsdann die Kugel durch
die Windungen der Röhre laufen, und zieht hernach
den Wischer vermittelst des Fadens nach. Diese Reini=
gung muß aber einigemahl sorgfältig wiederhohlt werden.

Für denienigen, der Branntwein prüfen will, ob er
mit Kupfertheilchen verunreiniget und vergiftet sey oder
nicht, kann folgendes Verfahren empfohlen werden:
Man tröpfle in ein gewöhnliches Glas voll Branntwein
80—100 Tropfen reinen Salmiakgeist und lasse den
Branntwein alsdann einige Stunden stehen. Ist der
Branntwein mit Kupfer verunreinigt und also schädlich,
so wird er, je nachdem er mehr oder weniger Kupfer
enthält, mehr oder weniger bläulicht werden, ist er rein,
so bleibt er vollkommen weiß. Oder man lege in ein
Glas voll von dem zu prüfenden Branntwein kleine
Stückchen weißen gelöschten Kalks; ist Kupfer darin
enthalten, so wird das zu Boden fallende Pulver erst
grünlich, und alsdann ganz grün.

VII.

Ueber den Gesundheitszustand des vo Jahres.

Eines so fast allgemein guten Gesundheitszustand
die Bewohner der nördlichen Provinzen Deutsch
im vorigen Jahre genossen haben, wissen sich au
ältesten Aerzte, von welchen bey dem Herausgeber
richten eingegangen sind, nicht zu erinnern. M
derselben, die eine sehr ausgebreitete Praxis haben,
sicherten, in vielen Monaten des Jahres im eigent
Verstande gar nichts zu thun gehabt zu haben.
sind die eingegangenen Berichte auch nur sehr kurz,
aber doch Stoff zu einigen Bemerkungen.

Wer die Witterung des vorigen Jahres beob
hat, den muß der gedachte so außerordentlich gut
sundheitszustand um so auffallender seyn, da zu a
Zeiten bey völlig ähnlicher Witterun
durchaus schlechter Gesundheitszustand herrschte,
der Charakter der Krankheiten sehr böse war. Mit
nahme weniger Monate war fast die ganze übrige
reszeit feucht; der Frühling dabey mitunter kal
stürmisch; die Sommermonate waren sehr na
beym Aufgang und Untergang der Sonne stellte
nicht selten, den Wolkenbrüchen gleichkommende
regen ein, worauf gewöhnlich eine unangenehme
folgte; die letzten Monate zeichnete sich durch al
selnden Regen, Schneegestöber und Stürme, bes
an den Seeküsten aus. Nach der bisherigen Erfa
ist solche Witterung der Erzeugung heftiger rheum

108

catarrhalischer Krankheiten vorzüglich günstig, die man auch in andern Jahren bey gleicher, aber anscheinend weniger heftig auf den thierischen Organismus würkenden Ursache, unter den verschiedenartigsten Formen, in den nördlichen Gegenden am mehrsten unter der Form leicht tödtlicher Lungenentzündungen, beobachtete. Aber in vielen Jahren wurden doch diese Krankheiten nicht so selten gesehen, als im vorigen Jahre; daß sie aber epidemisch vorgekommen wären, davon sagt keiner der eingegangenen Berichte das Geringste. Man darf daher wohl die Vermuthung wagen, daß in der Form der Witterung nicht so sehr der Grund der epidemischen Krankheiten zu suchen sey, als vielmehr in den besondern Mischungsverhältnissen der Atmosphäre, die indessen unserer Beobachtung zu sehr entzogen sind, um auch nur einige Vermuthungen darüber zu wagen.

Kalte Fieber, besonders alltägliche und viertägige, die in den norddeutschen Gegenden in feuchten Jahren gewöhnlich epidemisch vorkommen, wurden an vielen Orten gar nicht, an einigen nur bey wenigen Individuen beobachtet. — Von der Ruhr, einer epidemischen Krankheit der von der Ostsee begränzten Länder, ist in keinem Berichte die Rede. — Rheumatismen kamen zwar vor, aber gegen andere Jahre äußerst selten. — Nervenfieber wurden bey einzelnen Individuen, an keinem Orte aber, von welchem Nachrichten eingegangen sind, epidemisch beobachtet.

Höchst bemerkenswerth bleibt es dabey, daß, wie der folgende Aufsatz näher zeigen wird, die vorerwähnte Witterung auf die Hausthiere sehr nachtheilig würkte.

Interessant wäre es allerdings, wenn ein junger talentvoller Arzt darin Recht hatte: „daß die glückliche Aussicht auf eine bessere Zeit und die dadurch hervorgebrachte heitere Stimmung der Seele, von so wohlthätigen Folgen auf den Körper gewesen sey, daß besonders daher der so auffallend gute Gesundheitszustand erkläret werden könne." Indessen lassen sich gegen diese Hypothese doch manche erhebliche Einwürfe aufstellen. Zuvörderst wäre wohl zu beweisen, daß der größere Theil der Menschen von der Hoffnung einer baldigen bessern Zeit würklich so ganz durchdrungen wäre, woran doch nach den Aeußerungen der Schriftgelehrten und Sprecher des Volks recht sehr zu zweifeln ist. Gesetzt aber auch, eine solche Hofnung belebte das cultivirte Menschengeschlecht, sollte man sie wohl für ein Palladium gegen so nachtheilige Einwürkungen der Außenwelt, bey welchen wir zu andern Zeiten einen so auffallend schlechten Gesundheitszustand beobachteten, ansehen können? Das wäre der durch moralische Einwürkungen erregten Reaction des menschlichen Organismus doch etwas zu viel zugetrauet!

Wie plötzlich, bey anscheinend gleicher Witterung, der Gesundheitszustand sich verändern kann, davon haben wir in und um Rostock und an mehreren andern Orten ein frappantes Beyspiel gesehen. Noch bis zum 19ten (in andern Orten bis zum 26sten) December herrschte der beste Gesundheitszustand. Die Witterung blieb sich während des Decembers und bis in die Mitte des Januars ziemlich gleich, indem sie in höchstem Grade veränderlich war, so daß gelinder Frost mit Thauwetter, Regen und leichten Stürmen abwechselte. Die Aerzte waren im Ganzen genommen, wenig beschäftigt, von einer ausgebildeten Epidemie war keine Spur. In Rostock veränderte sich bey fast unverrücktem Barometer- und Thermometer-Stande die Sonne innerhalb wenigen Tagen. Fast täglich erfolgten nun plötzliche Todesfälle: es erschienen heftige Hirnaffectionen, selbst Wahnsinn in seinen höhern Graden, Entzündungen der Lungen, Leber, der Gedärme, heftige Bräunen, rheumatische Uebel unter allen möglichen Formen. Podagristen und Hämorrhoidalkranke litten heftig. Alles dieses nahm, wie der künftigjährige Bericht näher detaïlliren wird, im Januar dieses Jahres bis zu einem so hohen Grade zu, daß man bey der außerordentlichen Sterblichkeit dieses Monats, außerhalb Rostock schon

..nd gelbes Fieber hätten ihr Gift bis zu

..o vortreflichen Gesundheitszustande, als
..s größten Theils des vorigen Jahres er=
..Lage des kleinstädtischen Arztes,
..; von der Landpraxis lebt, und kein fires
..nicht die beneidenswertheste. Mehrere
..rsicherten, im vorigen Jahre nicht so viel
..en, als zu ihrer Subsistenz erforderlich
..;hat bleibt es eine unangenehme Bemer=
..glieder eines Standes aus dem Grunde
..eil es gerade ihren Mitbürgern vorzüglich
..; erfreulich das physische Wohlseyn der
..auch dem ärztlichen Stande ist, so sollte
..doch auch dann nicht vergessen, wenn
..;rlichen Uebeln verschont bleibt. Denn
..Gesundheitsepidemie — was doch mög=
..;inmahl mehrere Jahre hinter einander
.. könnte mancher Arzt leicht gezwungen
..;ch mit einem andern, ihn wenigstens
..;sorgen sicheraden zu vertauschen.

..;inderkrankheiten des v. J. zeichneten sich
..;ige Bräune und der Keichhusten aus.
..e beynahe in ganz Mecklenburg, in Pom=
..m Lübeck; von dem fürchterlichen Croup
..;liche Fälle in Rostock, Schwerin, Wis=
..; der Gegend von Wittenburg, Röbel,
.., Grabow u. m. a. Orten vor. Der
..; in Rostock vom April bis zum August
..;hr gelinde (an andern Orten sehr hart=
..;fieng er an seltner zu werden, so erschien
..;ne, welche mit dem Januar dieses Jah=
..;idemisch wurde, und hier und in der
..;hon jetzt eine große Anzahl von Kindern

..;attern sind in Mecklenburg im vorigen
..;gestorben, 2 weniger als im J. 1814,

7

und 2 mehr als 1813. Im J. 1809 [
der an Blattern Gestorbenen noch 2(
— 1649, im J. 1807 — 1385. Die
von dieser Krankheit in dem letzten De
nen beläuft sich auf 3476; in den
stieg sie auf 8 — 9000, und darüber.

jährigen Todtenlisten sich eine nicht [
zahl von Pockentodten finden wird,
ziemlicher Gewißheit vorhersagen, d(
irrthümlichen Vorstellung mancher M(
gerottete Seuche in mehreren Gegend(
der erschienen ist, und die Anzahl
Kinder trotz der bekannten Bereitwillig
unentgeldlichen Vaccination, an allen
weniger groß ist. Mögte die Kuhpo
in allen Ländern zwangsmäßig eingefü
erst, wenn das Gesetz dem Staatsbür(
sollst deine Kinder vacciniren lassen, [
Muthes sagen: Die Pocken
rottet.

Die große Mehrzahl der Geborn(
die Summe der Gestorbenen (7638),
diesjährigen Geburts= und Sterbelist(
thums Mecklenburg = Schwerin findet,
sowohl in dem vorzüglich guten Gesu(
vorigen Jahres, als in der größern [
die gegen andere Jahre gerechnet, im [
wurden, ihren Grund. Daß aber a(
dern ein beträchtlicher Ueberschuß de(
hatte, ergibt sich aus folgenden Anga

Im Jahre 1815 wur= den in	geboren.	ges
Breslau	2707	：
Altona	765	
Pinneberg (Herrschaft.)	964	
Wien	12326	I
Königsberg . .	2525	
Führen. (Stift) .	5460	：

Tief muß dem Menschenfreunde die Summe der im
vorigen Jahre in Mecklenburg durch Unglücksfälle Gestorbenen rühren. Sie betrug 159, und in dem ganzen
letzten Jahrzehend 1754. Wenn Süßmilch mit den
Todtenlisten in der Hand, von 20454 in einem Jahre
zu London Gestorbenen alle Verunglückte auf 245 an-
gibt, so darf man sich hierüber so sehr nicht wundern,
wenn man alle Lebensgefahren kennt, denen der Einwohner in dieser kolossalen Stadt unterworfen ist und
sich nach brittischer Art oft auch muthwillig aussetzt.
Daß aber in Mecklenburg unter 7638 Gestorbenen
159 Verunglückte sich befinden, muß die Aufmerksamkeit des Staatsmannes, wie des Arztes, erregen. Unter
den Verunglückten zeichnen sich besonders aus 15 Selbst-
mörder (!), 33 Ertrunkene (!!), 8 Todtgefahrne.
Die nähern Umstände unter denen die Ertrunkenen und
Todtgefahrnen umgekommen sind, ob besonders Ersteren
zeitige und zweckmäßige Hülfe geleistet wurde, verdienen bekannt zu werden.

———————

Beym Schlusse dieses erhalte ich noch mehrere Nachrichten von Mecklenburgschen Aerzten über den vorigjäh-
gen Gesundheitszustand, aus welchen ich nur Folgendes
noch aushebe.

Die Krätze ist auf dem Lande so allgemein verbreitet, daß ganze Dorfschaften in ganzen Gegenden angesteckt sind. Es scheinet, als wenn sie hauptsächlich
durch fremde Kriegsvölker, besonders durch Russen
und Schweden so allgemein geworden ist. An und für
sich ist diese Krankheit bekanntlich keineswegs gefährlich,
selbst dann nicht, wenn sie complizirt ist und nur richtig
behandelt wird. Allein der Landmann bedient sich dagegen selten der Hülfe eines Arztes, sondern quacksalbert
mit den widersinnigsten Mitteln, und Afterärzte und alte
Weiber haben hier ein weites Feld für ihre Praxis. Zu
den schädlichsten Mitteln, welche die Landleute gegen
diese Krankheit gebrauchen, gehören die weiße Riese-

7*

wurz (Elleborus albus), Euphorbium und Merkurial=
salbe — Mittel, die in den Händen des Nichtarztes
höchst gefährliche Würkungen hervorbringen können.
Die weiße Niesewurz ist ein äußerst heroisches
Arzneymittel; sie verursacht leicht allgemeine Erhitzung,
Durst, Angst, Schwindel, Kopfweh, Wahnsinn, Ver=
zweifelung, Brennen in verschiedenen Theilen, kriebelnde
Empfindung in den Händen und Fingern, Anschwellung
des Gesichts, Hautausschläge, fast gänzliche Unter=
drückung des Athmens, Leibschneiden, schmerzhafte
Stuhlgänge mit Stuhlzwang, Zuckungen, Ohnmacht,
und den Tod. Nicht minder heftig würkt das Eu=
phorbium, welches innerlich von Aerzten nicht mehr
gebraucht wird, dessen Würkung auf die Haut aber auch
so heftig ist, daß man keinen Gebrauch mehr davon
macht. Diese beyden Mittel darf nun überhaupt kein
Apotheker ohne Vorschrift des Arztes verabfolgen lassen,
und er ist strafbar, wenn er es thut. Soll er aber auch
die Quecksilbersalbe nicht verkaufen, da diese doch
zuverlässig oft gegen Ungeziefer der Thiere angewendet
wird? Ich glaube kaum, daß man den Verkauf dieser
Salbe im Allgemeinen füglich untersagen kann. Und
doch welch' ein großer Nachtheil kann mit diesem Mit=
tel, welches gegen die Krätze äußerlich so häufig ange=
wandt wird, bewürkt werden, dadurch, daß es die
Krätze zu schnell vertreibt und durch zu starkes Einreiben
Speichelfluß, und noch weit gefährlichere Zufälle der
Quecksilbervergiftung hervorbringt! Warnen wollen
wir also wenigstens auch vor diesem, vielen Menschen
sehr unschädlich scheinenden Mittel.

VIII.

Ueber die epizootischen Krankheiten welche im vorigen Jahre in Mecklenburg geherrscht haben.

Vom Herausgeber. *)

Obgleich die schreckliche Rinderpest (Löserdürre) im vorigen Jahre in mehreren nicht gar weit von Mecklen=

---

*) Ich muß hier zuvörderst einer unrichtigen, aber ziemlich allgemeinen, von den Thierärzten sehr gerne verbreiteten Ansicht gedenken: „als habe nämlich der Menschenarzt gar die Competenz nicht, über Thierkrankheiten zu ur= theilen." Das gilt allerdings von vielen Menschenärz= ten, aber bey weitem nicht von allem. Die Anatomie und Physiologie der Hausthiere sind in der Regel jedem praktischem Arzte bekannt; die Lehre von den Heilmit= teln der Thierkrankheiten hat die Veterinairmedizin den Vorarbeiten der Menschenärzte zu verdanken. Der wahr= haft gebildete Theil derselben hat aber auch auf Univer= sitäten Thierheilkunde studirt, und es läßt sich daher bey der Analogie der Krankheiten der Thiere mit den mensch= lichen, wohl annehmen, daß ein Mann, der die Arzney= wissenschaft in ihrem ganzen Umfange studiret hat, ein guter, ja ein vorzüglich guter Thierarzt werden müsse, wenn er dasjenige, was bey der Behandlung der Thier= krankheiten noch besonders zu beobachten ist, sich zu eigen gemacht hat. Hiezu kommt noch, daß es den mehrsten Thierärzten an der frühern wissenschaftlichen Bildung, an der wahren Cultur des Geistes gänzlich fehlet, weßhalb sie auch gewöhnlich nichts mehr als rohe Empiriker sind, ihr ganzes Wissen in dem, was sie in der Veterinairschule begriffen haben, besteht, und sie sich selbst weiter auszubilden nicht verstehen. — „Aber es fehlt den Menschenärzten

115

burg entlegenen Staaten geherrscht hat, so sind wir,
des beträchtlichen Viehverkehrs mit den Ausländern un=
geachtet, dennoch von dieser, den Wohlstand eines nur
durch Ackerbau und Viehzucht blühenden Landes, so sehr
erschütternden Seuche verschont geblieben. Sehr wahr=
scheinlich wäre sie auch diesmahl furchtbarer, wie vor
zwey Jahren (wo einige Zweifler behaupteten, es habe
damals gar keine eigentliche Löserdürre existirt) geworden,
da durch mancherlei voraufgegangene Viehkrankheiten
und ungünstige Witterung die Receptivität des Thier=
körpers für die Aufnahme des Contagiums vorzüglich
erhöhet worden war. Bestätiget es sich indessen, daß die
Löserdürre so furchtbar nicht sey, wenn sie wie der an=
steckende Typhus, entzündungswidrig behandelt wird,
so kann dieses für die noch jetzt bedrohten Länder zu
einigem, freylich nur sehr geringem Troste gereichen.
Immer wird man aber bey wirklich ausgebrochener
Krankheit von allgemeinen, mit Energie ausgeführten
Polizeymaaßregeln das Mehrste erwarten müssen, und
da wäre es sehr zu wünschen, wenn diejenigen Männer,
denen die Leitung solcher Maaßregeln übertragen würde,
sich mit der Art und Weise, wie der Regierungs= und
Medizinalrath K a u s ch die Löserdürre so schnell unter=
drückte, genau bekannt machten.

Blieben wir freylich von dieser Seuche verschont, so
wurde dagegen unser Viehstand von andern nicht minder
tödtlichen sehr empfindlich mitgenommen. Die so an=
haltende Nässe des vorigen Jahres hatte zunächst auf

---

an den technischen Uebungen;“ das ist allerdings wahr,
allein die Kunstfertigkeit läßt sich leicht erwerben, wenn
man die Regeln des Verfahrens überhaupt nur kennt.

Was mich selbst betrifft, so wird man mir hoffentlich
die Competenz nicht streitig machen, auch über Thier=
krankheiten zu urtheilen, da ich die Thierarzneykunde
studiret, sie früher praktisch ausgeübt habe, und ihr Stu=
dium noch jetzt keineswegs vernachlässige, wie mehrere
meiner veterinairschen Ausarbeitungen beweisen können.

M.

die Weiden einen nachtheiligen Einfluß. Die Vegetation
der Pflanzen mußte dadurch bedeutend gestöret werden,
und wo durch das lange Regenwetter die Flüsse austra-
ten und die Waiden dauernd überschwemmten, da mußte
endlich die Vegetation gänzlich unterbrochen werden. In
solchem Falle fangen, zumahl bey ohnehin etwas sumpfigen Waiden, die Pflanzen an zu faulen, es verfaulen
unzählige kleine Thiere im Schlamme, und wenn das
Vieh nun von solcher Waide frißt, und dazu das faulige,
schlammige Wasser säuft, so ist es kein Wunder, wenn
die Verdauungswerkzeuge affiziet werden, und zuletzt
bey der steten Einwürkung der naßkalten Atmosphäre,
sich leicht tödtliche Intestinalfieber erzeugen. Aber auch
unmittelbar auf den Thierkörper hatte diese anhaltend
feuchte und häufig, selbst in den Sommermonaten naß-
kalte Witterung einen sehr nachtheiligen Einfluß, und
sie war gewiß die hauptsächlichste Ursache der so allgemein
herrschenden Lungenseuche.

Nach den von mehreren, in verschiedenen Gegenden
Mecklenburgs wohnenden Aerzten und Thierärzten, und
anderweitig mir gewordenen Nachrichten herrschte diese
Seuche beynahe das ganze Jahr hindurch in dem größten
Theile des Landes, mehr und bösartiger jedoch in den
Gegenden an der Elbe, Elde und Trebel; als in den
höher gelegenen Gegenden. Sie befiel das Rindvieh
sowohl, als die Pferde, war aber doch in der Regel
ersterem weit gefährlicher, als letzterem. An vielen
Orten war sie eine weit weniger acute Krankheit, als im
Jahre 1814, sondern sie hielt drey Wochen und noch
länger an. Daß man nicht besonders glücklich in der
Behandlung war, darüber ist die Klage ziemlich allgemein gewesen. Vielleicht hat man zu wenig auf die
Complication mit dem Intestinalleiden, welches aus
mehreren Beschreibungen unverkennbar hervorleuchtet,
Rücksicht genommen; vielleicht lag aber auch die Ursache
in der fortwährend nachtheiligen Witterung. In den
trocknern Gegenden des Landes soll die Krankheit viel
gelinder und leichter heilbar gewesen seyn. Ueberhaupt

Die Augen waren matt und glanzlos, di
decke (membrana nictitans) keinesweges
gelber oder grüner Schleim in den Wink
Weder aus dem Maule, noch aus den N
Schleim oder eiterähnliche Materie, die Z
roth, nicht sehr belegt. Das Athem
schwach, jedoch nicht keuchend geschwind
bewegten sich mit sichtbarer Anstrengun
war widernatürlich, wie bey der Wi
schwollen.

Bey der Section fand ich das T
Grade abgemagert, keine angelaufene Dr
weder bläulich, noch schwärzlich, die S
Nase weder entzündet, noch mit Bran
durchaus keine Spur von Entzündung i
und in den Lungen, keine widernatürli
im Herzen. Die innere Haut des Sch
roth; das große, wie das kleine Netz en
Spur von Fett, da es sonst doch bey W
fett ist; aber die Blutgefäße beider Häu
haupt die Blutgefäße des Unterleibes str
und erschienen wie ausgespritzt. Der dr
Psalter (omasus) enthielt zwischen sein
migen Falten eine äußerst große Meng
grünen Futters, und seine Falten waren
man sie fast mit den Fingern zerreiben k
ten Magen, dem Rohm oder Laab (ab
sich eine dünne grünliche Feuchtigkeit.
war von expansibler Luft sehr ausgedehnt,
wenig Koth. Die Milz war äußerlich s
aber beym Aufschneiden eine große M
und der innere Theil dieser Drüse ließ si
Fingern zerreiben. Die Leber schien ü
liches Volumen ausgedehnt, hatte aber
gewöhnliche Farbe und Beschaffenheit;
enthielt wenig flüßige Galle. Im Geh
natürliches.

ciflich bleibt es, wie diese Krankheit und
t Thierärzten so lange verkannt werden
ie bloß die Kälberheerde befiel, während
anz gesund war, hätte schon auffallen
chung der Waide der Kälberheerde ver=
. Diese ohnehin schon nasse Bruchen
en ganzen Frühling und Sommer über
stonden, und die im Anfange dieses Auf=
, dem Thierkörper so nachtheilige Bel=
lten. In dem sumpfigen und schlammi=
d das junge noch nicht abgehärtete Vieh
i, und indem es zugleich der fortwähren=
oben ausgesetzt war, wurde bey dem=
ie so eben beschriebene Eingeweidekrank=
cht. Ohne allen Zweifel hätte dieses
gehoben werden können, wenn es den
zen Kunsterfahrnen gefallen hätte, die so
n liegende Ursache auszumitteln und dar=
, daß der kranken Heerde ein anderer
eben würde.

eil, welcher der Stadt durch diese Krank=
etraf nicht bloß den Verlust von beynahe
angen und schönen Viehes, sondern er
vohnern auch noch durch die von Preu=
rhängte Sperre empfindlich. Diese sehr
urch das Gerücht der wieder ausgebroche=
veranlaßte Maaßregel hatte sowohl auf
utenden Herbstviehmarkt, als auf den
rhaupt, der mit dem benachbarten Preu=
n wird, großen Einfluß, und störte den=
is auf längere Zeit längere Zeit zu gro=
nancher Viehbesitzer.

r Anwesenheit in Plau und nachdem ich
Maaßregeln empfohlen hatte, ist weiter
ankt.

IX.

Ueber die Schädlichkeit der Begräbnisse den Kirchen.

Vom Herausgeber.

Es wird gewiß manchem Leser sonderbar vorkom
daß in dem gegenwärtigen Jahrhunderte über d
längst als abgemacht betrachteten Gegenstand noch
schrieben wird. Allein die Erfahrung hat es gele
daß noch bey weitem nicht alle Männer selbst aus
gebildeten Volksklassen von der Schädlichkeit der Beg
nisse in den Kirchen überzeugt sind, daher die Zul
keit derselben ernstlich vertheidigen. Ja, es hat sich
vor kurzer Zeit ereignet, daß gegen die beabsichtigte
fernung der Begräbnisse aus den Kirchen ein g
Theil der Einwohner eines nicht kleinen Orts sic
kläret hat. Ohne Zweifel darf man hier vorausse
daß diese Gegner die Gefahren, welche mit dem Begr
der Todten in den Kirchen für die Gesunden offenbar
bunden sind, nicht kennen, denn nur dadurch ließe sic
erwähnte Widerspruch einigermaaßen entschuldigen.
dieser Unkundigen willen sind die folgenden Z
geschrieben.

Schon in den ältesten Zeiten war man vor
Nothwendigkeit überzeugt, die Leichen aus dem In
der Kirchen und Städte entfernen zu müssen.
Egyptier und Assyrer hatten gewisse von ihren Woh
gen entfernte Plätze zu Begräbnissen bestimmt; bey
Hebräern dienten verschiedene Höhlen oder Grüft

Bey den Griechen lagen die Gräber im
: an den Bergen und manchmahl auf
Berge; in der Folge verbrannten sie
curg war der einzige, der aus politi=
die Gräber in Sparta zuließ, indem
war, die spartanische Jugend mit dem
machen. Bey den Römern war das
sfeln lange Zeit in Ansehen, welches
äbnisse in der Stadt zu haben. Unter
: Regenten wich man hievon in der
ib; allein Adrian und Antonin der
die alte Sitte wieder her, die auch noch
Strenge galt, als die christliche Reli=
en Fuß faßte. Nach Constantin
ielfältigten sich die Beyspiele vom Be=
a in den Kirchen, als Theodosius
ühmten Befehl bekannt machte, der in
chen Codex enthalten ist und den er
ten Strenge in Ausübung bringen ließ.
o für lange Zeit wurden die Begräb=
chen entfernt, und man erlaubte es
rn, in den Kirchen beygesetzt zu wer=
r Folge rissen Macht und Ansehen auch
sich, worauf bloß die Frömmigkeit
sollte. Endlich wurde die Ehre, an
graben zu werden, verkauft, und an
endet, die reich genug waren, sie zu
ders aber kam dieser Gebrauch nach
iderte auf, und soviel auch selbst die
ter dagegen arbeitete, *) so wurde es
hristen bald allgemeine Sitte, die
: den Kirchen selbst, oder auf den bey
hen Kirchhöfen beyzusetzen.
en, wo man angefangen, die Gefah=
sffentlichen Gesundheitswohle drohen,

Jrbani Papae ad Capitulum Sancti Petri.
s Archiv der mediz. Polizey. B. IV. S. 45.

mehr zu würdigen, ist die Frage über die Schädlich
der Begräbnisse in den Kirchen vielfältig unters
worden, und man ist endlich, nicht bloß durch theor
sches Raisonnement, sondern mehr durch vielfäl
Beobachtung zu dem Resultate gekommen:

> daß die Begräbnisse in den Kirch
> der Gesundheit derjenigen, wel
> dem Gottesdienste beywohnen, se
> nachtheilig sind, und durch d
> Begraben der Leichen in den Kirch
> epidemische ansteckende Krankheit
> sehr leicht verbreitet werden könn

Daher hat man auch beynahe in allen kultivirten St
ten den Leichen ihre Stelle außerhalb den Städten
gewiesen, und es gibt auch in Deutschland nur wen
Städte, wo Kirchenbegräbnisse geduldet werden. T
neueste bekannte Gesetz hierüber ist das Französische v
23 Prairial des 12ten Jahres: „Keine Beerdigu
kann in Kirchen, Tempeln, Sinagogen, Spitäle
öffentlichen Kapellen, und überhaupt in keinem verschl
senen Gebäude, wo die Bürger zur Feyer ihrer Gott
verehrungen sich versammeln, noch in dem Innern
Städte und Flecken, Statt haben.*)"

Der Raum erlaubt es nicht, die Gründe, wel
gegen das Begraben der Leichen in den Kirchen so de
lich sprechen, hier ausführlich vorzulegen. Wir müf
uns daher darauf beschränken, die wichtigsten Grün
kurz zusammenzufassen, woraus der Nachtheil je
Gebrauches dem Unbefangenen sich hinlänglich ergel
wird.

Alle todte thierische Körper gerathen gewöhnlich f
bald nach ihrem Absterben in dem Zustand, den
Fäulniß nennen. Meistentheils schon nach eini
Tagen, bey sehr warmer Witterung, nach faulartic

---

*) J. C. Renards Samml. französischer Medizinal-
lizey-Gesetze. Mainz 1812. S. 282.

Krankheiten früher, beginnt bey menschlichen Leichnah=
men die merkbare Zersetzung, und zwar zuerst im Unter=
leibe, welcher von den sich entwickelnden Gasen aufge=
trieben wird. Die festen Theile werden weicher; das
Blut wird dünner, röthlich braun oder dunkelgrün;
ähnliche Flecke zeigen sich auf der Oberfläche, welche spä=
terhin bläulich, schwärzlich werden, und allmählich sich
öfnen. Die Aufblähung und der faulige Geruch neh=
men Ueberhand. Dies geschieht in den ersten Tagen
und Wochen nach dem Tode. Nach etwa 4 bis 5 Mo=
naten wird der Geruch etwas ammonialisch; der Körper
sinkt wieder zusammen; aus den geöfneten Flecken quillt
eine faule Jauche, und die weichen Theile verwandeln
sich in einen dunkelbraunen oder grünlichen Brey. Dies
geschieht binnen 2 bis ungefähr 3 Jahren.

Das Meiste bey diesem Zersetzungsprozesse verflüch=
tiget sich. Es entsteht nämlich gekohltes Wasserstoffgas
aus Gallert und Fett; geschwefeltes Wasserstoffgas; ge=
phosphortes Wasserstoffgas, welches die Irrlichter auf
den Kirchhöfen und das Leuchten einiger Leichname be=
würkt; Stickgas aus den Muskeln, wodurch diese grün
gefärbt werden; gekohltes Stickgas, welches vorzüglich
den Leichengeruch gibt; Kohlensaures Gas, Ammonium
und wäßrige Dünste.

Wenn solche Gasarten von foulenden thierischen
Körpern sich der Atmosphäre mittheilen, so verderben
und verpesten sie diese, besonders da, wo die Luft durch
Winde und Zug nicht gereiniget und erneuert wird.
Sind gar jene Gasarten lange eingeschlossen, und wer=
den sie alsdann von Menschen eingeathmet, so erfolgen
bey diesen die schrecklichsten Zufälle, selbst plötzlicher Tod.
Auf dem Gottesacker des Innocenz zu Paris, der jähr=
lich 2 — 3000 Leichen aufnimmt, hatte man 1779, da,
wo er an die Straße de la Lingerie stößt, eine 50 Schuh
tiefe Grube für 1500 bis 1600 Leichen gemacht. Allein
im Herbst 1780 konnte man schon keinen Keller in der
ganzen Straße mehr gebrauchen, und jeder der nur an

die Zuglöcher derselben kam, wurde augenblicklich von den schrecklichsten Zufällen befallen.*) Zu Corbie öffnete man ein Grab und beschädigte dabey den Sarg; es stieg ein so giftiger Dunst auf, daß ein Maurergesell getödtet wurde, und mehrere anwesende Personen erkrankten.**) Wie gefährlich die Fäulniß thierischer Körper werden kann, lehren auch die gar nicht seltnen Beyspiele, wo Cadaver auf anatomischen Theatern schlimme Nervenzufälle und faulichte Krankheiten verursachten; daher ist auch die Luft in Schlachthäusern, Gärbereyen, Seifenfabriken und ähnlichen Werkstätten (die man deßhalb auch gewöhnlich an abgelegenen Orten errichtet) so nachtheilig. Im Orient wird die Pest so oft dadurch veranlaßt, daß die Türken todte Thiere, so wie den Koth auf den Straßen verwesen lassen.

Aber nicht bloß die Dünste, welche durch die Fäulniß der Leichname an sich entwickelt werden, würken auf die Lebenden so nachtheilig, sondern es können dadurch auch ansteckende Krankheiten, woran die Verstorbenen litten, verbreitet werden. Dies hat die Erfahrung leider! so oft gelehrt, daß man unmöglich daran zweifeln kann. Wie oft wurden nicht durch Todte die Pest, die Blattern, in neuern Zeiten das gelbe Fieber verbreitet! Selbst nach vielen Jahren, als man die Gräber solcher Todten öffnete, theilten sich solche pestartige Krankheiten den Arbeitern mit.

Da, wo der Todte nicht an einer contagiösen Krankheit gestorben ist, hat man in den ersten Tagen nach dem Tode, zumahl bey sehr magern Leichnamen und bey kalter Witterung, von der Fäulniß eben keine Gefahr zu besorgen; denn der Grad der Fäulniß, welcher die Gefahr verursachen kann, entwickelt sich gewöhnlich erst nach 3 — 4 Tagen, oft noch später. Es ist aber auch bekanntlich bey uns keineswegs Gebrauch, die Leichen schon am zweyten oder dritten Tage zu beerdigen; son-

---

*) Reils Fieberlehre. I. S. 84.
**) Scherff a. a. O. S. 22. 23.

nan wartet aus einer löblichen Vorsicht gemeini=
lange, bis die eingetretene Fäulniß an den grün=
und schwarzen Flecken, und dem frappanten
ngeruche sichtbar wird. Also gerade — und dies
e man wohl — zu der Zeit, wenn der Zersetzungs=
, bey welchem die oben erwähnten schädlichen
rten sich entwickeln, in seinem ganzen Umfange
t, bringt man die Leichen zur Kirche. Durch das
rwerfen der Leiche bey dem Aufheben und Nieder=
des Sarges, noch mehr aber beym Fahren dessel=
werden die bereits stark zersetzten flüßigen Theile
wegung gesetzt, sie strömen aus Mund und Nase,
ernehren die faule Ausdünstung. Alles dieses
viel schneller und in einem viel höhern Grade im
mer, bey Gewitterluft, in heißen Climaten, Statt.

lan hat wohl den Einwurf gemacht, daß der fest
loffene Sarg das Entweichen der schädlichen Dünste
e. Das ist aber durchaus unrichtig. So fest ist
arg nicht verschlossen, daß nicht durch die Fugen,
durch feine Spalten des Deckels, Gasarten durch=
n sollten, wie der faule Geruch mancher Leichname,
doppelten, inwendig sogar ausgepechten Särgen
, zur Genüge beweiset. Auch hat man Beyspiele
, wo die Leichenträger von derselben ansteckenden
kheit, an welcher der Todte gestorben war, befallen
en. Im Jahre 1799 starb in einer zu meinem
ligen Physicatsdistricte gehörenden Stadt ein er=
enes Mädchen an faulartigen Blattern. Die Leiche
e am hellen Tage begraben; aber auch beynahe alle
r in den Straßen, durch welche die Leiche getragen
e, bekamen faulartige Blattern, und viele wurden
pfer derselben. Drey Leichenträger wurden vom
ieber ergriffen. „Ich weiß Beyspiele genug, sagt
ty von Maßynya,*) daß Leichenträger ent=
: angesteckt wurden, oder aus Abscheu und durch

Diskours über die mediz. Polizey. B. II. S. 254.

das Einathmen der faulen Ausdünstungen auf andere Art erkrankten. Man höre nur die Klagen der Geist=lichen, Kantoren und anderer nähern Begleiter der Leichen über die Unerträglichkeit des Todtengeruches, besonders zur Sommerzeit, ohne daß eben Limonien sie davor zu schützen im Stande wären."

Wenn nun auch die Leiche in der Kirche sogleich in ein Gewölbe oder in Sand beygesetzt wird, und daraus kein Nachtheil erwüchse (was wir aber niemals zugeben werden,) so ist es doch immer nicht zu verhüten, daß beym Hineintragen der Leiche in die Kirche, bey dem Hinsetzen derselben auf das Gerüst des Grabes, faule Ausdün=stungen in der Kirche verbreitet werden, mithin die Luft vergiftet wird. Dies muß um so mehr im Sommer geschehen, oder wenn der Verstorbene am Faulfieber, am Typhus, an Blattern, Scharlachfieber u. s. w. ge=litten hatte, wo denn diese Krankheiten sehr leicht andern Menschen mitgetheilt werden können. Man kennt hier in Rostock Beyspiele genug, wo am nächsten gottes=dienstlichen Tage, wenn Abends zuvor eine Leiche beyge=setzt worden war, ein höchst unangenehmer faulichter Geruch in der Kirche bemerkt wurde. Allen Aerzten von einiger Erfahrung werden die Fälle vorgekommen seyn, daß Menschen krank aus der Kirche zurückkamen; und wenn dieses auch häufig der kalten und ohnehin dumpfigen Kirchenluft zugeschrieben werden muß, so haben doch gewiß die faulen Ausdünstungen von fri=schen Leichen hieran eben so häufigen Antheil; wie selbst die bösartigen Fieber, von welchen jene Personen nicht selten befallen wurden, zur Genüge beweisen. Ueberdem wird selten eine Leiche beerdigt, ohne daß nicht erbetene und unerbetene Prozession dabey zugegen ist, die dann den faulen Dunst, der in freyer Luft bald zer=theilt wird, in der Kirche aber aus leicht zu erklärenden Gründen nicht verfliegen kann, einsaugt, welches zur Nachtzeit um so nachtheiliger werden kann, je mehr da=mit zugleich die Gefahren der Erkältung verbunden sind.

geben müssen die Vertheidiger der Begräbnisse in
rehen also doch immer die so eben erwähnte Gefahr
: Lebendigen, und schon aus diesem Grunde muß
ie Leichen aus den zum Gottesdienste bestimmten
den *) entfernen. Allein dies ist bey weitem nicht
1zige Grund zu dieser allgemein nothwendigen
regel. Denn auch die beygesetzten Leichen können
:rner auf mehr, als eine Art der Gesundheit leben=
enschen gefährlich werden, welches in dem Folgen=
it wenig Worten bewiesen werden soll.

Die Begräbnisse in den Kirchen sind
) über der Erde angebracht. Hier steht der
ganz frey, häufig nur von Glasfenstern oder einem
1 bretternen Verschlage umgeben. In diesem Falle
:ie cadaveröse Luft sich sehr gut der Kirche mit=
. Zwar sind zur Ableitung der Dünste nach
gehende Zugröhren angebracht; wenn aber der
gerade auf dieselben steht, oder wenn sie nicht gut
:t oder verstopft sind, so nehmen die Dünste einen
Ausweg, also in die Kirche. Außerdem müssen
Begräbnisse doch dann geöfnet werden, wenn neue
: beygesetzt werden sollen; und dann kann es gar
'ehlen, daß die nachtheilige Begräbnißluft in die
getrieben wird.

Die Begräbnisse bestehen in gemauerten
lben. Daß diese an sich, wenn sie Zuglöcher
und die Thüren zu dem Gewölbe hinlänglich stark
:t verbunden werden, so nachtheilig nicht sind,
: vorigen Begräbnisse, ist klar; obgleich es noch
nicht ausgemacht ist, ob dennoch nicht feine Gase
:ingen können. Allein zu vermeiden ist das Oef=
:lcher Gewölbe beym Hineinsetzen neuer Leichen

---

1 Theolog des siebzehnten Jahrhunderts, Hottin=
r, hat in einer Dissertat. de sepultura mortuorum §. 27.
viesen, daß es gegen den Zweck der Kirche sey, wenn man
:hen darin begräbt.

8*

doch keinesweges, und dann sind sie wahre Pestilenz-
höhlen, worin sich alle die mephitischen Gase angehäuft,
concentrirt haben. Eine solche Gewölbeluft ist so giftig,
daß sie oft auf der Stelle tödtet. In Montpellier
stiegen bey einem Leichenbegängnisse mehrere Personen
in ein solches Gewölbe herab; drey von ihnen starben
und viele andere wurden sehr krank.*) Aehnliche Beyspiele lassen sich genug nachweisen. Durch das Oefnen
der Gewölbe wird aber auch die Luft in der Kirche auf
lange Zeit verdorben, denn an Reinigung der Luft ist bey
der Einrichtung unserer Kirchen nicht zu denken. Ein
würklich vortreflicher, tiefdenkender Arzt hinterließ des-
wegen in seinem Testamente, daß man ihn auf dem
Gottesacker und nicht in die Kirche selbst begraben
möchte, und schrieb sich selbst folgende Grabschrift:
Philippus Verheyn Medicinae Doctor et Professor
partem sui materialem hic in Caemeterio poni voluit,
ne templum dehonestaret, aut uocivis hálitibus in-
ficeret.

3.) Man setzt die Leichen in Gräbern, die in
dem sandigen Boden der Kirchen mehrere Fuß gegraben werden, und bedeckt
die Gräber mit Steinen. Solche Begräbnisse
hält man für die durchaus unschädlichsten, in der Meinung, daß durch den Sand und die Steine unmöglich
böse Dünste dringen könnten. Allein gerade der feine
Sand läßt die Luft und wässerige Dünste viel leichter
durchdringen, als andere Erdarten, und wenn auch über
dem Grabe ein großer Stein liegt, so sind doch die da-
neben liegenden nie so dicht an einander gereihet, daß
nicht von den in der Grube entwickelten feinen Gasarten
mehr oder weniger durchdringen sollte. Mag dieses nun
von einer Leiche immer nur sehr wenig seyn, so muß
doch von der großen Anzahl von Leichen, die in manchen
Kirchen, sogar unter Kirchenstühlen liegen, eine nicht

---

*) Scherff a. a. O. S. 47.

geringe Menge von schädlichen Dünsten aus den Gräbern aufsteigen, wenn diese auch noch so tief sind. Denn wie sehr die Erde in einem weiten Umkreise um Grabmähler von den aus ihnen entweichenden Gasarten durchdrungen werden könne, beweiset der vorhin von dem Gottesacker des Innocenz zu Paris erzählte Fall. Sind nun gar die Särge bloß mit Sand, nicht zugleich auch mit Steinen bedeckt (wie dies in manchen größern Kirchen an abgelegenen Plätzen wohl geschieht) und werden dann die Leichen nicht tief genug verscharret, so ist die Gefahr von Verunreinigung der Luft durch die aus solchen Gräbern sehr leicht emporsteigenden Dünste noch größer. So erzählt Plenk,*) daß in einer Kirche ein Grab für einen Verstorbenen nicht tief genug gemacht, daher der Sarg mit wenig Erde, welche man nur mit den Füßen zusammengestampft hatte, bedeckt worden war. Nach wenig Tagen füllten die faulen Ausdünstungen aus dem Grabe die Kirche so an, daß diese verlassen werden mußte. Es wurde nun beschlossen, den Körper wieder auszugraben, wovon aber zwey Todtengräber mit starkem Erbrechen befallen wurden, und der dritte sich ein Faulfieber zuzog, an welchem er nach zehn Tagen seinen Geist aufgeben mußte.

Wären unsere Kirchen so eingerichtet, daß sie jedesmahl vor dem Gottesdienste hinreichend gelüftet werden könnten, so mögte das Beysetzen der Leichen auf die Nr. 3. erwähnte Art allenfalls noch gestattet werden können; obgleich ich doch großen Zweifel habe, daß durch das Lüften jeder Nachtheil, der aus dem Zusammenseyn einer so großen Menge von Leichen entsteht, gehoben werden würde. So wie unsere Kirchen aber jetzt noch sind und wahrscheinlich bleiben werden, ist an Reinigung der Luft nicht zu denken; die Fenster können nicht geöfnet werden, die Thüren sind gewöhnlich verschlossen oder bleiben doch ungeöfnet. Alle die Ausdünstungen

*) Elem. med. et chir. for.

und Ausathmungen von den öftern großen Versammlungen bleiben also in der Kirche, vermischen sich mit
den Dünsten, die aus den Begräbnissen von allen Seiten
aufsteigen, und so kann es nicht fehlen, daß der Aufent-
halt in den Gotteshäusern keinesweges der Gesundheit,
am wenigsten der schwachen Gesundheit zuträglich seyn
kann. Unleugbar ist es, daß viele Menschen in solchen
Kirchen zur Sommerszeit häufig den widrigen Leichengeruch empfanden; unleugbar, daß Reconvaleszenten,
schwachnervige Menschen, selbst starke Personen krank
aus der Kirche kamen, und schon nach wenigen Tagen
Symptome eines bösartigen Fiebers bey ihnen sich zeigten; unleugbar, daß viele Prediger vom Faulfieber befallen wurden, welches von Leichenausdünstungen ihrer
Kirche verursacht worden war. Man lese die Schriften
über medizinische Polizey, und man wird zu diesem
Allen Belege genug finden. Weg also mit den Leichen
aus den Kirchen, die bloß zu Bethäusern bestimmt sind;
hin mit ihnen nach dem Gottesacker, wo sie den Lebenden nicht gefährlich werden können!

Ob die Kirchhöfe in den Städten zu dulden sind,
davon soll hier die Rede nicht seyn. Man hat über ihre
Zuläßigkeit viel gestritten, darin ist man sich aber doch einig,
daß sie bey ansteckenden epidemischen Krankheiten sehr
gefährlich werden können. Wer hievon Fälle kennen lernen
will, der lese Scherff, Hußty, Plattner u. m. a.

Was die Anlage der Kirchhöfe außerhalb der Stadt
betrift, so müssen dabey folgende Regeln gelten:

1.) Sie müssen in gehöriger Entfernung von der
   Stadt angelegt werden. Die neuere französische
   Verordnung schreibt vor 35 — 40 Meter von den
   Mauern.

2.) Sie müssen geräumig genug seyn, und daher
   bey ihrer Anlage die Volkszahl des Orts, so wie
   die jährliche Mortalität nach einem Durchschnitt
   von mehreren Dezennien wohl erwogen worden.

3.) Sie müssen hoch gelegen und wo möglich dem Nordwinde ausgesetzt seyn. Ist aber dieser der herrschende gegen die Stadt oder den Flecken, so muß ein anderer Platz gewählet werden.

4.) Der Boden kommt sehr in Betracht. Er muß nicht zu feucht seyn, weil dadurch die Fäulniß zu schnell befördert wird, die umgebende Atmosphäre aber dadurch mehr leidet, als wenn die Fäulniß langsam erfolgt. Daher muß auch das Beschütten der Leichen mit lebendigem Kalke als nachtheilig verboten werden. — Thon= und Dammerde ist zu ihrer Anlage besser, als Sand= und Kalkerde, weil jene das bey der Auflösung menschlicher Körper Schädliche mehr einsaugt, und zur Nahrung des darauf wachsenden Grases oder anderer Pflanzen verwendet, indem diese dasselbe leichter durchläßt, daß es sich der Atmosphäre mittheilen kann. *)

5.) Die Pflanzungen auf den Kirchhöfen müssen mit der Vorsicht angelegt werden, daß der Luftzug dadurch nicht gestöret wird.

6.) Jedes Grab muß mindestens 6 Fuß Tiefe haben, nicht lose mit Erde bedeckt, sondern diese wohl zu= getreten werden.

7.) Die Gräber müssen gehörig weit von einander entfernt seyn. Die neuere französische Verordnung schreibt vor: „die Gräber sollen 3 — 4 Decimeter auf den Seiten, und 3 — 5 Decimeter zu Kopf und zu Fuß von einander entfernt seyn."

---

*) Wildberg System der mediz. Gesetzgebung. §. 40.

X.

Die Seebadeanstalten an der Ostsee.

——

a.) Doberan.

Seit beynahe zwey Decennien blühet am Gestade der Ostsee das erste Seebad in Deutschland, Doberan. An dem heiligen Damme steht das geräumige und sehr gut eingerichtete Badehaus, in welchem schon Tausende ihre Gesundheit wiederfanden; und nicht weit davon ein kleineres, welches eine ehrwürdige Gesellschaft für arme Kranke stiftete. Zur rechten und linken des größern Badehauses, nahe an der See, erblickt man Badekarren zum Baden in der See, und in einiger Entfernung von denselben auf der Ostseite, Schilderhäuser für diejenigen Männer, die sich stark genug fühlen, aus denselben unmittelbar in die See zu gehen.

Diese Anlagen bestanden schon seit mehreren Jahren. So wie aber der Schöpfer Doberans, unser allverehrter jetziger Landesherr, stets darauf bedacht ist, die Anstalt mit jedem Jahre der Vollkommenheit näher zu bringen, so hat Er auch seit dem vorigen Jahre wieder mehrere neue Anlagen geschaffen, die eben sowohl für würklichen Nutzen, für die Erweiterung der Anstalt selbst, wie für die Verschönerung des Ganzen, für größere Bequemlichkeit der Badenden, weise berechnet sind. An der westlichen Seite des Badehauses wird ein überaus geschmackvolles Gebäude aufgerichtet, welches der eigentliche Absteigeort der von Doberan kommenden Badegäste, so wie die Wohnung des Bademeisters, die sich bisher in dem Badehause befand, werden soll. Beyde Gebäude

ch einen verdeckten Gang unmittelbar zusam-
, so daß vermittelst desselben, die warm Ba=
dem neuen Hause ins Badehaus, und von
zu jenem zurück gelangen können, ohne sich
exponiren, welches für schwächliche Personen,
ir minder schwächliche bey rauher Witterung,
von großer Wichtigkeit seyn wird. Damit
sämmtliche Badende, sich aber auch bey un=
Witterung die nöthigen Bewegungen nach
machen können, so wird das neue Gebäude
nge enthalten, in welchen man gegen Regen
hinlänglich geschützt ist, ohne des schönen
r offenbaren See und des Genusses der be=
eeluft zu entbehren. In dem geräumigeren
o die Badegesellschaft sich mehr zerstreuen
ie dieses bisher der Fall war, und so wird
ypochondrist und weniger im Umgange mit
Welt Geübte den Zwang nicht fühlen, der
us dem Zusammenfluß vieler Menschen auf
rn Platze entstand. Selbst die Conversation
vird gewinnen, weil das schöne Local Man=
wird, länger, als es bisher geschahe, beym
mne sich aufzuhalten und die wohlthätige,
eeluft zu genießen.

on besonders großer Wichtigkeit ist es, daß
erlegung der Gesellschaftszimmer, so wie der
des Bademeisters in das neue Gebäude, zur
neuer warmer Bäder, und zu Logirzimmern
kranke, die sich wegen schwacher Gesundheit
selbst nicht aufhalten können, ein bedeuten=
ewonnen wird. Auch darf es nicht übersehen
ß bey dieser Veränderung die warm Baden=
unter diesen sind doch gewöhnlich die Kränk=
rzüglich gewinnen, indem sie ihre Bäder un=
ehmen können, und von dem bisher unver=
Geräusche, welches manchem schwachen Ner=
nicht behaget, nicht mehr leiden werden.

Die Badeoffizianten aber werden in ihrer Thätigkeit gleichfalls, weniger gestöret werden.

Die Anlegung des, erwähnten Gebäudes war also gewiß ein in jeder Hinsicht sehr glücklicher Gedanke von unserm allverehrten Fürsten. Wie sehr das Ganze, welches ohnehin schon einen so imposanten Anblick darbietet, dadurch noch verschönert werden wird, kann Jeder, der das Ganze der Anstalt kennt, sich schon jetzt, da das Gebäude nur noch in seinen rohen Umrissen da steht, lebhaft vorstellen. In dem nächstfolgenden Jahre werden wir es vollendet sehen.

Außer diesem Gebäude sind neuerdings sowohl an der Westseite längs dem Ufer, als auch an der Ostseite vor dem Holze englische Parthien zu Promenaden angelegt, die mit der Zeit gewiß sehr schön werden; und dem Vernehmen nach sollen ähnliche Parthien hinter dem neuen Gebäude angelegt werden. Mit jedem Jahre erhält also der heilige Damm neuen Reiz, und ladet Kranke und Gesunde ein, Gesundheit und neues Leben aus den Fluthen des Meeres zu holen.

Auch der Weg von dem Bade nach Doberan verschönert sich mit jedem Jahre durch die neuen Anpflanzungen zu beyden Seiten desselben. Was Doberan selbst in einem so kurzen Zeitraume geworden ist; wie viel es noch erst in neuern Zeiten durch schöne Gebäude und reizende Anlagen gewonnen hat; und daß der Schöpfer von Allem diesen unser jetzt regierende Landesherr ist: das weiß Jedermann. Mit Recht gesteht auch jeder Fremde Doberan den Rang vor beynahe allen Badeörtern Deutschlands zu. Zwey jüngere Schwestern stehen neben Doberan, Travemünde bey Lübeck und Aurich in Ostfriesland, beyde von der Natur minder begünstiget, beyde ungleich weniger im Flor. So hat indessen Deutschland jetzt drey Seebadeanstalten, aber unser Fürst war der erste, der den Arzneyvorrath mit einem so wichtigen, vormals nur in England angewandten Heilmittel bereicherte.

Die ersten Nachrichten von der Errichtung der Seebadeanstalten in Doberan wurden von dem deutschen Publikum verschieden aufgenommen. Manchen Brunnenärzten schien es sonderbar vorzukommen und sie schienen fast empfindlich darüber zu seyn, *) daß man von dem Seebade so viel erwartete; es war beynahe nicht zu verkennen, daß sie fürchteten, die von ihnen so hoch gepriesene Heilquelle mögte an Frequenz verlieren, ihnen mögte der Genuß des Dankgefühles der Genesenen von nun an in geringerem Ma ße zu Theil werden. Die übrigen Aerzte waren sich in ihren Meinungen durchaus nicht eins, wie selbst die öffentlichen Urtheile es beweisen. Einige ahndeten in dem Seebade ein großes, kräftiges Mittel, welches in manchen Krankheitsfällen durch kein anderes, von der Natur bereitetes Wasser ersetzt werde: und diese, unter welchen sehr achtungswerthe Namen sind, waren gewiß auf dem richtigern Wege; andere legten dem Seewasser nicht mehr Kräfte bey, als dem süßen Wasser, — eine Meinung, welche gerade nicht von großer Einsicht und von Kenntniß der Bestandtheile des Seewassers zeuget; eine dritte Classe von Aerzten (die kleinere Anzahl) war, besonders zur Zeit des rohesten Brownianismus, allen Gesundbrunnen und Bädern abhold, und creipirte daher auch das Seebad nicht. Das nichtärztliche Publikum dachte und raisonnirte ungefähr so, wie die tonangebenden Aerzte; und so hatte das Seebad in dem einen Orte seine Vertheidiger, in dem andern seine Gegner.

Man fing indessen an, die Seebäder zu besuchen; man sahe, daß sie mehr, als gewöhnliche Wasserbäder leisteten, ihr Ansehen stieg daher — trotz der unfreundlichen, eine etwas egoistische Anhänglichkeit für Pyrmont verrathenden Aeußerungen eines sonst achtungs-

---

*) S. Marcard's neueste Schrift.

werthen Brunnenarztes, der seine Sache aber stets
etwas piqant zu vertheidigen gewohnt ist! — beynahe
mit jedem Jahre; und wenn sie manchen Bädern
Deutschlands nicht noch einen empfindlichern Stoß versetzten, so war unstreitig nur die weite Entfernung,
welche dem Bewohner des südlichen Deutschlands ihre
Anwendung erschweret, Schuld daran.

Auf den Bewohner der norddeutschen Provinzen er-
strecken sich auch die großen Vortheile, welche der Gebrauch der Seebäder gewähret, sicher am meisten.
Ihre Nähe erleichtert uns die Anwendung, und gibt
ihnen sehr oft den Vorzug vor entfernten theurern
Bädern, selbst wenn die zerrüttete Gesundheit das eine
oder andere von diesen dringend fordert. Manche, die
sonst jährlich eine Mineralquelle besuchten, gehen jetzt
ins Seebad, und gebrauchen dasselbe mit eben so vielem,
einige, nach ihrer eignen Versicherung, mit größerem
Nutzen. Wenn aber schon da, wo von bedeutendern
körperlichen Leiden die Rede ist (als großer Schwäche
des Hautorgans, Scrofeln oder scrofulöser Anlage, chro-
nischen Hautausschlägen, besonders hartnäckigen Flech-
ten, rheumatischen und gichtischen Uebeln, Steifigkeit
der Gelenke, Drüsengeschwülsten, vielen Arten von Nervenübeln, allgemeiner und partieller Schwäche u. s. w.)
sehr oft bey uns die Nähe dem Seebade den Vorzug
gibt, so muß dieses bey geringern körperlichen Uebeln
noch weit häufiger der Fall seyn. Manche Menschen sind
und fühlen sich gerade nicht krank, sie bemerken aber
doch zuweilen vorübergehende Störung ihres Wohlbefindens, eine leichte, vielleicht durch Geistesanstrengungen,
verdrießliche Vorfälle, unangenehme Lage u. dgl. verur-
sachte Schwäche; sie bedürfen Zerstreuung und Erholung
mehr, als Arzneyen, die nach dem herrschenden Schlen-
drian gewöhnlich in langen Frühlingscuren bestehen.
Solche Halbkranke in ein entferntes Bad zu schicken,
kann dem Arzte nur bey den mit irdischen Gütern Ge-
segneten einfallen; lieber aber werden wir doch eine Reise

ins Seebad, als ein in jeder Rücksicht zweckmäßiges Mittel zur Wiederherstellung des getrübten Wohlbefindens empfehlen. An den Ufern der Ostsee, in dem schönen Doberan und seinen reizenden Umgebungen, in den angenehmen Zirkeln, die sich dort Jedem, der sie sucht, darbieten, bey der Entfernung von mancherley unangenehmen Gegenständen, die mit unserm Zuhause-seyn vielleicht unvermeidlich sind, erhohlt man sich bald und unvermerkt, und kehret heiterer, gestärkter, mit sich zufriedener und mit der Welt ausgesöhnter zu seinem Heerde zurück. — Selbst für diejenigen, die nach schweren Krankheiten lange sich nicht wieder erholen können, muß uns das Seebad, als eines der kräftigsten Stärkungsmittel für den ganzen Organismus, von großem Werthe seyn, da es so leicht zu erreichen, und in diesen Fällen (nach meiner Ueberzeugung,) vielen andern Bädern vorzuziehen ist. Vor Allem aber erwäge man, wie wichtig das Seebad für den Bewohner des nördlichen Deutschlands als Abhärtungsmittel gegen die climatischen Einflüsse, und als würkliches Heilmittel der aus denselben entspringenden Krankheiten wird.

Der Werth des Seebades hat sich seit einer Reihe von Jahren auch schon so hinlänglich dargethan, daß dasselbe für die Zukunft eines Lobredners eben nicht bedarf: man lese nur die Reihe der Annalen des Seebades zu Doberan von unserm würdigen Vogel, in welchen viele sehr merkwürdige Beyspiele von der äußerst glücklichen Würkung des Seebades vorkommen. Außerdem haben aber auch noch mehrere, besonders hiesige Aerzte, ähnliche bestätigende Erfahrungen gemacht, theils an Kranken, die in Doberan oder Warnemünde badeten, theils an solchen, deren körperlicher Zustand oder häusliche Lage es nicht erlaubten, nach Doberan zu gehen, die sich aber Seewasser von Warnemünde bringen ließen, und unter unmittelbarer Leitung ihres Hausarztes in verschiedenen Wärmegraden, und mit verschiedenen Zusätzen anderer Heilmittel, je nachdem der Fall das eine oder andere er-

forderte, badeten. Meine eigne Erfahrungen während
einer Reihe von Jahren hier mitzutheilen, kann meine
Absicht nicht seyn, indem ich hier zugleich für Nichtärzte
schreibe; und ich erlaube mir nur noch, einige Nachrich=
ten über die Badezeit zu Doberan im Sommer des vori=
gen Jahres, beyzufügen.

Im Anfange des vorigen Sommers hatte es keines=
weges das Ansehen, als wenn die Badegesellschaft zahl=
reich werden würde. Ungünstige Witterung und der
wenigstens etwas getrübte politische Horizont gaben
wenig Hofnung dazu. Auch war die Anzahl der Frem=
den bis gegen die Mitte des Julius nur sehr geringe;
aber von da an nahm sie bis zu Ende August's mit
jedem Tage zu, so daß besonders in der Mitte dieses
Monats die Frequenz am bedeutendsten war.

Trotz der bis zum 26sten August, mit Ausnahme
weniger schöner Tage, fast unaufhörlich trüben und reg=
nichten, oft recht fühlbar kühlen Witterung fehlte es
keineswegs an mannigfaltigen Aufheiterungen und Zer=
streuungen. Konnte man diese freylich nur selten in
dem schönen Tempel der Natur genießen, so war dage=
gen die Conversation in den verschiedenen dazu bestimm=
ten Versammlungsplätzen desto lebhafter, und sie mußte
mit jedem Tage an Interesse zunehmen, je bestätigender
mit jedem Tage die Nachrichten von der gerechten De=
müthigung der Feinde des Friedens wurden. In der
That! es war höchst interessant, an einem Orte so viele
Menschen aus so vielen Ländern Europens versammelt zu
sehen, die, was den einen Mann und die eine Nation
betrifft, als einen Sinn hatten, weil alle durch diesen
Mann und von dieser Nation so viel, die einen mehr,
die andern weniger, gelitten hatten. Auch auf Doberan
hatte die Unruhe, welche jene neuen Vandalen in bey=
nahe allen cultivirten Ländern erregt hatten, mehr als
einmahl Einfluß gehabt. Denn mehr als einmahl
wurde durch sie die Frequenz des Sommers gehindert;
einmahl loderte die Kriegsflamme in der Nähe der heil=

ringenden Anstalt, und verjagte die im Herbste noch
anwesenden Fremden; einmahl entrissen die Uebermü=
thigen, und darum auch so tief Gefallnen, uns sogar
den, dessen Gegenwart das Ganze belebt, den hohen
Gründer und Beschützer dieser Anstalt. Der Tag, an
welchem der allverehrte Fürst einst das von Ihm ge=
schaffene Werk wieder sahe, wurde dieses Mahl mit
höherer Rührung und mit Dank gegen den, dessen
allmächtige Hand Tyrannen in den Staub wirft, ge=
feyert.

Mit eben so hoher Rührung feyerte die ganze Bade=
gesellschaft den Geburtstag des Retters Deutschlands,
des von allen ächten Deutschen so hochverehrten, jetzt
regierenden Königs von Preußen. Nicht bloß aus dem
Munde der gerade anwesenden Unterthanen dieses Mo=
narchen, sondern aus dem Munde Aller, die an der
öffentlichen Tafel speiseten, ertönte ein Lobgesang zu
Ehren Friedrichs Wilhelm des III. und seiner tapfern
Heere, und es war gewiß Keiner, den hiebey nicht hohe
Rührung ergriffen hätte. Den Abend dieses festlichen
Tages beschlossen Ball und eine geschmackvolle Illu=
mination.

So gab es also doch im vorigen Sommer der Freu=
den manche in Doberan, und es liegt gewiß an diejeni=
gen selbst, die da glauben, ihre Zeit dort nicht recht aus=
füllen zu können. Wie viel mehr Gelegenheit hiezu in
Doberan als an vielen andern Badeorten ist, haben
Mehrere erfahren und bestätiget, die vor zwey Jahren
während einer anhaltenden Regenzeit sich in Pyrmont
aufhielten, und bey deren vorigjähriger Anwesenheit in
Doberan es fast täglich regnete. An Bädern muß man
eine Tageszeit ordentlich eintheilen, und wer dieses thut,
im gesellschaftlichen Zirkel überhaupt Geschmack findet,
denselben nicht mit zu großen Prätensionen betritt, nicht
von hypochondrischen Launen gequält wird und sich zu
versündigen glaubt, wenn er nicht täglich ein gewisses
Pensum arbeitet: der wird in Doberan gewiß keine

Langeweile haben, am wenigsten, wenn die Witterung günstig ist, wo man interessante Parthien genug in den Umgebungen Doberans findet.

Für die Badenden selbst schien der vorigjährige Sommer keinesweges günstig zu seyn. Die Witterung war größtentheils, selbst gegen das Ende und im Anfange Augusts, wo in unsern Gegenden sonst gewöhnlich feste Sommerwitterung eintritt, sehr rauh, und an der See war es zuweilen so stürmisch, daß das Baden in den Badekarren nicht gestattet werden konnte: Die ominösen sieben Brüder schienen dabey diesmahl ihr Recht zu behaupten: von dem Tage ihrer Herrschaft an bis zu deren Ende, regnete es fast täglich, oft, besonders beym Aufgang der Sonne so heftig, daß der Regen einem Wolkenbruche glich. Solche Witterung mögte denn doch wohl im Allgemeinen nicht diejenige seyn, bey welcher Bäder überhaupt, zumahl aber Seebäder, am wenigsten die kalten, wohl bekommen können. Das kalte Seebad ist überhaupt, nach meiner vollkommensten Ueberzeugung, ein sehr heroisches Mittel, mit welchem mancher Nichtarzt viel zu sehr spielet, dessen Anwendung große Ueberlegung, genaue Kenntniß des Individuums, die höchste Vorsicht und Behutsamkeit erfordert. Es findet gewiß nur in seltnen Krankheitsfällen Anwendung, und nach meiner Erfahrung, verdirbt es oft das wieder, was die warmen Seebäder gut gemacht haben.

G. H. Masius.

b.) Travemünde.

Das Seebad bey Travemünde ist erst in den beyden letzten Jahren durch genauere Beschreibungen bekannter worden; *) denn die im Jahre 1803 erschienene Beschrei-

---

*) Ideen über die Indication, Würkung und den richtigen Gebrauch der Seebäder ꝛc. von G. Swartendyck — Stierling. Lübeck, 1816. Kurze Beschreibung der freien Hanse=Stadt. Lübeck. Ebend. 1814. S. 153.

ur in einem kleinen Kreise. *) Aus
) aus dem an Ort und Stelle von mir
ile ich nun folgende Nachrichten mit.
ch nicht mehr, wie der Kalender, bloß
Necklenburg und Pommern geschrieben
Nachrichten von den Gesundheits = An=
nördlichen Deutschlands mittheilen
artheyisch seyn, wenn ich hier alljähr=
ades zu Doberan erwähnen wollte.
Jahrgänge werden überhaupt Nach=
n Bädern und Gesundbrunnen des
ands vorkommen.

Jahren geschahe von dem verstorbenen
in Vorschlag zu Anlegung einer See=
vemünde. Damals schon reiseten im
Personen dahin, um sich in ofner See
Wunsch einer zweckmäßig eingerichteten
ssen immer lauter, und endlich traten
zusammen, um durch Actien 1802
tanstalt am Seeufer zu gründen.
Jahre, wo die Anstalt noch ganz un=
urde sie von vielen Einheimischen und
und besonders war im J. 1804 der
n Fremden so bedeutend, daß man da=
mte, in Travemünde bald Eins der
eörter Deutschlands zu sehen. Be=
ıer die für Lübeck so traurig und höchst
n Jahre ein, und mit ihnen mußte
unge Anstalt wieder abnehmen. In
hre wurde sie nur sehr wenig besucht,
chreckenszeit noch lange gedauert, so
ı vielleicht ganz zu Grunde gegangen.
Sommer 1814 wurde sie wieder stärker
origjährigen Sommer war die Frequenz
Der erste Seebadearzt war der ver=

---

atseebadeanstalt bey Travemünde. Lübeck

9

dienstvolle Stadtphysikus, Dr. Danzmann in Lübeck, der aber durch Offizialgeschäfte zu oft daselbst zurückgehalten, vor einigen Jahren jene Stelle dem Dr. Swartendyk = Stierling übergab.

Die eigentliche Seebadeanstalt ist auf dem Leuchtenfelde, welches Travemünde von der Seeseite begränzt, etabliret. Von dem Städtchen aus ist während der Badezeit ein Richtweg durch die Travemünder Schanze nach der Anstalt verstattet. Von der Schanze geht eine aus dicht gepflanzten Linden, Birken und Pappeln bestehende Allee zu dem Wirthschaftsgebäude. Dieses, in einem schönen Style erbauet, ist theils für die Oeconomie, theils zu Speise = und Gesellschaftszimmern bestimmt. Vor dem Gebäude ist eine Terrasse angelegt und diese mit einem in der Mitte offenen, an allen Seiten aber mit Fenstern versehenen Schirm bedeckt, so daß man von hier aus, gegen ungestüme Witterung hinlänglich geschützt, eine hinreißend schöne Aussicht nach der Ostsee und den benachbarten Küsten hat.

Aber noch hinreißender ist die Aussicht auf einer nicht unbeträchtlichen, mit mancherley Gartenanlagen verzierten Anhöhe hinter dem Oekonomiegebäude. Hier sahe ich an einem heitern Augustmorgen die Sonne aufgehen — ein Anblick, den ich seit meinen Jünglingsjahren so schön nicht hatte; hier athmet man die reine balsamische Seeluft und genießt den mit nichts zu vergleichenden Anblick des ruhigen Meeres, in welches die untergehende Sonne zu versinken scheint.

Unten am Berge sind noch einige kleine, dem Vergnügen der Badegäste gewidmete Gebäude, von denen Eins ein Billard enthält, und in deren Nähe sich manche Einrichtungen zu gesellschaftlichen Spielen, als Kegelbahn, Schaukel, Vogelschießen, Reitbahn, Caroussel, Ballon u. dgl. m. befinden.

Neben dem Oeconomiegebäude ist ein langes Logirhaus von einem Stock mit 56 Zimmern, einem Schwei-

nlich, erbauet. Außerdem kann man
inde selbst recht gut logiren. Fremde
Theurung geklagt; ich vermuthe in=
dieses nur auf einige frühere Jahre be=
ein fremder Restaurateur die Oeconomie

o Schritte von dem Städtchen, und
dert Schritte von dem Logirhause, ist
atz ausersehene Ufer, wohin man sehr
n, zu Wasser, und auf dem durch die
en Richtwege zu Fuße gelangen kann.
ser beym Ausfluß der Trave gelegenen
weißer und reiner Sandgrund, der sich
her Abstufung unter der Fläche des
nd ungeachtet des dann und wann ein=
uns der Wellen, sobald diese sich wie=
iben, immer gleich rein und eben bleibt.
zum Baden in der See theils bedeckter
r den Englischen ähnlichen, bekannten
iese stehen bey ganz stillem Wetter,
Schritte vom Ufer, im Wasser; sonst
inde. Im ersten Falle wird man mit
ahrzeuge hinangefahren; im letzten Falle
uf dem Lande, und läßt sich während
inein, so wie während des Ankleidens,
eignen Winde, aufs Land zurückschick=
ung, die, da der Boden so sanft und
der gar nicht verspüret wird.

g halber sind die Badekutschen durch
einander unterschieden, und eben so
illete, die beym Eintritt an den Wärter
mit Buchstaben und Nummern ver=
Badenden Ort und Zeit zu bestimmen.
t zum kalten Bade kostet 12 ßl., und
ts zu bezahlen, als etwa eine Kleinig=
von dem, der sich damit nicht versehen

9*

hat. Für Frauenzimmer sind besondere Cabinette be=
stimmt, welche von jenen Badewägen durch einen
Schirm abgesondert sind.

Die warmen Bäder werden in dem nahe an der See
gelegenen Badehause bereitet. Die Leitung des See=
wassers dahin, so kunstlos sie auch ist, hat doch nur mit
vieler Mühe und beträchtlichen Kosten zu Stande ge=
bracht werden können, da das Gebäude auf einer, gegen
die Fläche der See, nicht unbedeutenden Höhe steht, und
die fast vollendete Arbeit durch öftern Einsturz des
Sandes, so wie auch durch das Einströmen der See,
mehrmals theils vereitelt, theils sehr erschweret wurde.
Ungeachtet dieser großen Hindernisse ist es endlich gelun=
gen, durch Röhren, die einige Fuß unter der Fläche der
See liegen und bis an das Badehaus reichen, die Leitung
so vollenden zu lassen, daß das Wasser, welches durch
zwey an der Seeseite des Hauses stehende Pumpen in die
Höhe und in die Behälter gebracht wird, durchaus so
unverfälscht und rein ist, wie in der offnen See selbst.
Durch ein bey der Oefnung der Röhren auf der See schwim=
mendes Schlauchwerk, durch zwiefach dicht geflochtene
Körbe und andere Mittel ist dafür gesorgt, daß auch
selbst bey unruhigem Wetter kein Seesand in die Mün=
dung der Röhren dringen kann.

In der Mitte des Hauses ist der Platz, wo das
Wasser in geräumige Behälter aufgenommen, und von
da in die angränzenden Zimmer geführet wird. Zwey
dieser Behälter, deren jeder zehn Orhoft Wasser enthält,
sind für das kalte, die andern beyden, wovon jeder fünf
Orhoft fasset, sind für das heiße Wasser bestimmt. In
den letztern befindet sich ein kupferner Ofen, der, mit
Steinkohlen geheizt, in etwas mehr als anderthalb
Stunden alle fünf Orhoft Wasser zum Kochen bringt.
Durch diese einfache Methode ist für das Badehaus ein
sehr bedeutender Raum, und in Ansehung der großen
Kosten, die mit irgend einer andern Art der Feuerung

verknüpft seyn würden, eine ganz wesentliche Ersparung gewonnen. An beyden Seiten dieses Platzes sind die 4 Badezimmer, deren jedes mit allen erforderlichen Bequemlichkeiten versehen ist. Die Badewannen sind von dem besten Eichenholz, fast mit dem Boden gleich, in die Erde gesenkt, etwas größer, wie gewöhnlich, sehr gut gearbeitet, inwendig mit weißer Farbe bemahlt, *) und mit einer bequemen Rücklehne versehen.

Wer sich ganz allein im Bade befindet, und unerwartet plötzlicher Hülfsleistung benöthiget ist, darf nur eine Schnur, die er im Wasser erreichen kann, anziehen, und die gewünschte Aufwartung ist sogleich zur Hand. Für Reinlichkeit ist, wie bey dem kalten Bade, auch hier möglichst gesorgt. Ein Billet zum warmen Bade kostet 24 ßl.

Zu einem Tropfbade ist bereits das Erforderliche veranstaltet, und auf ähnliche, so wie überhaupt auf alle noch übrige Kunstbäder wird gleichfalls Bedacht genommen werden.

S. Nachricht über die innere Einrichtung der Travemünder Seebäder. 1 Bogen Fol.

---

*) Sollte dieses wohl zweckmäßig seyn? Sollte, da die Wanne selten ganz voll ist, von der weißen Farbe nicht ein übler Eindruck auf schwache, sehr empfindliche Augen entstehen?

XI.

Kennzeichen der unschädlichen und giftigen Schwämme.

Nach Parmentier, Thouret, Cadet und Huzard.

Die am meisten zum Genuß als Speise geeigneten Schwämme sind von Natur schwer zu verdauen. Wenn man sie in großer Menge ißt, oder einige Zeit, ehe sie gekocht wurden, aufbewahret hat, können sie unangenehme Zufälle erregen.

Es gibt aber auch Schwämme, welche wahrhaft giftig sind, selbst wenn sie frisch genossen werden. Für diejenigen, welche die Schwämme im Walde oder im Felde suchen, wollen wir hier die Merkmahle angeben, nach welchen die unschädlichen Schwämme von den giftigen erkannt werden können.

Der Schwamm besteht aus dem Hute und dem Stiele, welcher letztere den erstern trägt. Wenn er sehr jung ist, ist er eyförmig, bald nackt, bald in einen Beutel, Sack oder häutigen Kelch, Saamenhaut genannt, gehüllt. Entwickelt sich der Hut in Form eines Schirmes, so läßt er zuweilen um seinen Stiel die Ueberbleibsel der Saamenhaut, die man dann den Wulst oder Kragen nennt, zurück.

Unterwärts ist der Hut mit nahe an einander liegenden Blättern versehen, welche sich vom Mittelpunkte nach dem Umkreise ausbreiten.

Gute Champignons.

1. Der gewöhnliche Blätterschwamm (Agaricus campestris). Man findet ihn auf Viehweiden und Brachfeldern. Er hat keine Saamenhaut; sein Strunk oder Stiel ist beynahe rund, voll und fleischig, und mit einem recht auffallenden Wulste versehen. Sein Hut ist oben weiß, sein Blätter sind fleischfarbig, oder mehr oder weniger hellrosenroth: dieser Champignon ist der einzige, der in Paris auf den Märkten verkauft werden darf, und der nur dann schadet, wenn man eine zu große Menge ißt, oder wenn er zu lange gestanden hat.

2. Der wahre pomeranzenfarbige Blätterschwamm (Agaricus aurantiacus). Er ist gewöhnlich dicker, als der Mistbeet-Champignon. Sein Hut ist außerhalb roth oder pomeranzenroth; seine Blätter haben eine schöne gelbe Farbe. Sein Strunk ist gelblich, sehr aufgetrieben, besonders unten; er hat einen ziemlich großen und gelblichen Wulst.

Der weiße Blätterschwamm (Agarius ovoideus) schmeckt weniger gut,

Giftige Champignons.

1. Der knollige Blätterschwamm (Agaricus bulbosus.) Er hat deßhalb diesen Namen erhalten, weil die Grundfläche seines Strunkes aufgeblasen ist und einen Knollen bildet, um welchen man wieder die Spuren der Saamenhaut findet, die den Hut überzogen hatte. Er hat auch den Wulst gleich dem guten Champignon. Die Blätter sind weiß und nicht rosenfarbig; der untere Theil des Hutes ist bald sehr weiß, bald grünlich; zuweilen ist der grünliche Hut oberhalb mit den Spuren und Ueberresten der Saamenhaut besetzt. — Dieser Ch. ist sehr giftig. Man muß überhaupt jeden Ch. wegwerfen, der zwar dem gewöhnlichen gleicht, dessen Stielende aber zwiebelförmig aufgetrieben ist, der eine Saamenhaut hat, deren Spuren man noch antrifft, und dessen Blätter unten am Hute weiß und nicht rosenfarbig sind.

2. Der unächte pomeranzenfarbige Blätterschwamm (Agaricus Pseudo - aurantiacus). Sein Hut ist oberhalb von einem lebhaften Roth, nicht pomeranzenfarbig, wie bey der eben beschriebenen Art; er ist mit kleinen weißen Flecken besetzt, welches die Reste der Saamenhaut sind. Sein Strunk ist nicht so dick, runder, höher; die Ueberbleibsel der Saamenhaut hängen mehr mit dem Knollen zusammen, welcher sich am untern Ende des Stiels befindet. Die Vereinigung

als der vorhergehende, hat aber die nämliche Form, gleiche Saamenhaut und Wulst; er ist nur darin verschieden, daß alle Theile weiß sind.

3. Moosschwämme. Sie wachsen mitten im Moose oder auf grasigten Brachfeldern. Sie sind von röthlich gelber Farbe; der Hut, von mehr oder weniger unregelmäßiger Form ist mit einer Haut bedeckt, die so glatt und trocken wie Handschuhleder ist. Der volle und feste Strunk läßt sich drehen, ohne zu zerbrechen. Man unterscheidet zwey Arten: die eine, dickere und unregelmäßigere, mit dickerem und verhältnißmäßig kürzerem Strunk, ist der Mouceron = Blätterschwamm (Agaricus mouceron) die andere Art ist kleiner, der Hut ist dünner, der Strunk schmächtiger; dies ist der unächte Mouceron= Blätterschwamm (Agaricus Pseudo - mouceron): beyde sind eßbar und von sehr angenehmen Geschmacke.

4. Die Morgel (Phallus esculentus). Auf einem unten erweiterten Stiele steht der immer eng an ihn liegende Hut, der sich schirmartig öfnet, und ungleich und gleichsam zellig auf seiner Oberfläche ist.

der rothen Farbe des Hutes mit der weißen der Blätter ist ein sicheres Unterscheidungszeichen des wahren von dem unächten pomeranzenfarbigen Blätterschwamm. Dieser Schwamm ist einer der giftigsten und erregt die schrecklichsten Zufälle.

3. Man kann mit diesen Moos = Schwämmen mehrere kleine Champignons von der nämlichen Farbe und Form verwechseln, die nicht seinen angenehmen Geschmack haben. Man unterscheidet sie dadurch, daß die Oberfläche ihres Hutes nicht trocken ist, daß sie weicher sind, und ihr Strunk hohl und brüchig ist. Es gibt zwar noch viele unter den Blätterschwämmen, welche man essen kann; weil sie aber andern mehr oder weniger gefährlichen gleichen, so ist es klug, sie zu vermeiden.

4. Der Giftschwamm Phallus impudicus), welcher durch seinen zelligen Hut der Morgel sehr ähnlich sieht, hat einen sehr hohen Strunk, der aus einem Beutel hervorgeht. Der Hut ist kleiner und läßt eine gräuliche Materie ausschwitzen. Dieser Schwamm hat einen unangenehmen Geruch und ist sehr gefährlich.

5. Der Geißbart oder korallenförmige. Hörnerschwamm (Clavaria coralloides), weicht von allen vorhergehenden ab. Er besteht aus einer fleischigten Substanz, die eine Art von Stamm hat, welche sich wie der Blumenkohl veräftelt, und in stumpfe oder abgerundete Spitzen endigt. Er ist bald weißlich, bald gelblich = röthlich. Sein Geschmack ist sehr gut, und man kennt von diesem Geschlechte gar keine schädliche Art.

Man kann übrigens denjenigen, welche die Schwämme nicht hinlänglich kennen, nicht genug empfehlen, nur diejenigen zu essen, welche allgemein für gut anerkannt sind: den Mistbeetchampignon, den gewöhnlichen Champignon, den wahren pomeranzenfarbigen Blätterschwamm, den Pfifferling, den Löcherschwamm, die Morgel und den Hörnerschwamm.

Einige der verschluckten Giftschwämme erzeugen Eckel, Magenschmerzen, zuweilen auch Schlund = und Magenentzündung. Die Leidenden klagen über verstopften Stuhlgang, erbrechen sich, sie leiden Schluchsen, der Unterleib schwillt an, und am After erscheint ein blutiger Ausfluß. Andere giftige Schwämme haben Mattigkeiten, Schlafsucht, Zuckungen, Ohnmachten, Zittern, Wahnsinn, zu ihren Folgen. Die meisten giftigen Schwämme, auf welche Art sie auch immer würken, tödten, wenn die Kunst hier nicht die Retterin solcher Unglücklichen ist.

XII.

Anweisung

über die Art,

gläserne Haarröhrchen mit Kuhpockenmaterie zu füllen, sie aufzubewahren und auszuleeren.

Es ist bekannt, daß die Impfungen mit trockener Kuh-
pockenmaterie (auf Fäden oder Pinseln) so oft fehlschla-
gen, so daß man auf diese Art mehrmal ohne Erfolg
impfen kann. Man kann indessen die Impfmaterie sehr
gut längere Zeit flüßig aufbewahren, ohne daß sie verdirbt. Da das genaue Verfahren hiebey vielleicht nicht
allen Aerzten und Wundärzten bekannt ist, so theile ich
dasselbe, zugleich mit der Art, wie die Impfmaterie aus
den Röhren herausgenommen und gebraucht werden
muß, ausführlich mit.

Man durchsticht die Pocke, aus welcher man Lymphe
sammeln will, auf ihrer ganzen Oberfläche, und zwar
gerade zu der Zeit, wo sich die kreisförmige Röthe um
dieselbe zeigt. Sobald sich auf der Pocke ein Tropfen
von dieser Flüßigkeit gebildet hat, so legt man die
Röhre, mit ihrem dünnsten Ende an denselben, sorgt
dafür, daß beyde Enden der Röhre offen seyen, und
daß sich in derselben kein fremder Körper befinde.
Wenn die Röhre die Lymphe aufgesogen hat, so nimmt
man sie weg, und legt sie nicht eher wieder an, als bis
sich ein neuer Tropfen gebildet hat. Auch muß man
immer das nämliche Ende der Röhre anlegen, weil

ohne diese Vorsicht es nie gelingen würde, sie ganz zu füllen.

Oft geschieht es, daß das Aufsaugen nachläßt, weil die Lymphe in dem äußersten Ende der Röhre sich verdichtet hat. In diesem Falle muß man eine halbe Linie oder auch mehr, von der Röhre abbrechen, und, indem man sie mit dem Daumen und dem Zeigefinger zusammenpreßt, die Lymphe, welche sich verdichtet hat, und nun sich fadenförmig zieht, herausdrücken. Diese Operation wiederhohlt man, so oft sich die Röhre verschließt. Wenn die Röhre nur noch eine halbe Linie leer ist, verschließt man sie auf folgende Art:

Man dreht die Röhre zwischen den Fingern um, preßt das Ende derselben zwischen dem Daumen und dem Zeigefinger fest zusammen, ohne sie jedoch zu zerbrechen, und hält eben dieses Ende, wo noch eine Linie bis zum Vollseyn fehlt, an ein brennendes Licht. Sobald das Glas geschmolzen ist, welches man daran erkennt, wenn es roth wird, bringt man die Hand unterwärts und zieht sie vom Lichte zurück. Auf die nämliche Art schmelzt man auch das andere Ende zu.

Um die Impfmaterie unverdorben zu erhalten, legt man die Röhre auf einen Teller oder auf eine Untertasse, bedeckt sie mit einem feuchten Schwamm, und sucht sie vor Licht und Wärme zu schützen. Indem man diese Vorsicht beobachtet, bleibt der Impfstoff flüßig, welches sodann beym Gebrauche einen sichern Erfolg verbürgt.

Will man die Materie gebrauchen, so bricht man die beyden Enden der Röhre ab, steckt eine derselben in eine eigends dazu, ebenfalls aus Glas gefertigte Röhre, oder auch nur in einen dünnen Strohhalm, bringt das andere Ende über ein Glasplättchen, und bläßt nun sanft in den Strohhalm, oder in das zum

Blasen bestimmte Glasröhrchen, so, daß die Röhre, worin die Impfmaterie aufbewahret ist, nicht ganz ausgeleeret wird, sondern noch etwa eine Linie hoch angefüllt bleibt. Diese Vorsicht ist unumgänglich nothwendig, weil sonst die hineingeblasene Luft die Lymphe leicht zersetzen könnte. Ist die Lymphe auf die Glasplatte geflossen, so faßt man sie mit einer hohlen Nadel oder mit der Lanzette auf, und verfährt damit, als wenn man von Arm zu Arm impft.

XIII.

Nachricht

von einigen,

die Ausübung der gerichtlichen Arzneywissenschaft betreffenden Anordnungen

im Großherzogthum Mecklenburg-Schwerin.

Die Mecklenburg-Schwerinschen Kreisphysici (12) wurden bis zum vorigen Jahre ohne besondere Prüfung angestellet; (eben so auch die von den Magistraten der Städte Rostock, Parchim, Güstrow und Wismar bestellten Stadtphysici). Im April vorigen Jahres wurde indessen, auf den Vortrag der medizinischen Facultät bey der Großherzogl. Regierung, die Verordnung in den öffentlichen Intelligenzblättern publiciret:

daß jeder Arzt, der sich um ein Kreis-Physicat bewerbe, zuvor einer Prüfung bey der medizinischen Facultät zu Rostock über seine gerichtlich-medizinischen Kenntnisse sich zu unterwerfen habe.

Es ist hiedurch also bestimmt ausgesprochen, daß der Candidat bloß über seine Kenntnisse in der gerichtlichen Arzneywissenschaft geprüft werden solle. Diese bleiben für den gerichtlichen Arzt auch die Hauptsache, und man kann mit Recht annehmen, daß derjenige, welcher sie in einem vorzüglichen Grade besitzt, im Allgemeinen ein gebildeter, zum Physicus tauglicher Arzt sey. Nach einem Beschluß der medizinischen Facultät bestehet die vorgeschriebene Prüfung nun

1) in ausführlichen schriftlichen Beantwortungen vorge-
legter Fragen, wohin auch Elogica medica gehören;
2) in der darauf folgenden mündlichen Prüfung über
die wichtigsten Gegenstände der gerichtlichen Arzneywissenschaft.

Zugleich mit vorerwähnter Verordnung wurde in
einer Circularverordnung den Kreis = Physicis befohlen:

„1.) In jedem Fall gerichtlicher Leichenschau die
mit aller Sorgfalt und Vollständigkeit anzustellende
innerliche Obduction oder Section vorzunehmen, es
wäre denn, daß selbige von dem Gerichte selbst für unnöthig und die bloße Besichtigung für genügend erkläret
würde.

„2.) Besonders diese Sorgfalt auch bey der Unter-
suchung des Leichnams todtgefundener Kinder anzuwenden, so daß sie nicht allein die Obduction überhaupt in
ihrem ganzen Umfange anzustellen, sondern auch vorzüglich die Lungenprobe mit der größten Vorsicht und
Gewissenhaftigkeit vorzunehmen hätten.

„3.) In ihrem Gutachten über die Tödtlichkeit
der Verletzungen und die Ursachen des Todes allemahl,
außer den von den Gerichten etwa besonders aufgegebe-
nen, folgende drey Fragen ganz bestimmt zu beantworten, oder auch die Ursachen, weßhalb dieses nicht geschehen könne, anzugeben. Nämlich:

a) ob die Verletzung so beschaffen sey, daß sie unbe-
dingt und unter allen Umständen in dem Alter des
Verletzten für sich allein den Tod zur Folge haben
müssen?

b) ob die Verletzung in dem Alter des Verletzten, nach
dessen individueller Beschaffenheit, für sich allein
den Tod zur Folge haben müssen?

c) ob sie in dem Alter des Verletzten entweder aus
dem Mangel eines zur Heilung erforderlichen Um-

standes (accidens) oder durch Zutrit einer äußern
Schädlichkeit den Tod zur Folge gehabt habe?

) Den Leichenbefund allemahl während der
)uction selbst zu Protocoll zu geben — wenn
auch das Elogium medicum erst nachher aus=
teten."

Durch Nr. 3. dieser Verordnung ist also auch für
:e gerichtlichen Aerzte eine festere Norm zur Classifi=
ıg der tödtlichen Verletzungen gegeben, und die
ızbehörden dürfen sich ob der Bedeutung der man=
ey Benennungen der lethalen Verletzungen nicht
: den Kopf zerbrechen. Die medizinische Facultät
Rostock hatte durch ihren Vortrag bey der Groß=
·glichen Regierung die vorangeführten gesetzlichen
chriften veranlaßt. Zu diesem Vortrage hatte sie
esonders dadurch bewogen gefunden, daß nach ihrer
ıtniß einer Menge zu ihrer Beurtheilung gekomme=
Obductionsberichte, in den Benennungen der tödt=
ı Verletzungen eine so große Verschiedenheit und
stimmtheit herrschte, daß es dem Rechtsgelehrten
schwierig werden mußte, den eigentlichen Grad der
tlichkeit aus dem ärztlichen Ausspruche zu erkennen,
ı wohl in einem Falle die Verletzung von einem
e für absolut, von einem andern für an sich lethal,
ıem andern Falle die Verletzung bald für utpluri=
ı lethal, bald für an sich lethal, bald per accidens
ıl erkläret worden war. Die Facultät glaubte bey
ın willkührlichen Bestimmungen, es sey besser,
ı hier die Gesetzgebung einen Ausspruch thue, und
hlug daher, in Conformität der Königl. Preußischen
ıinal=Ordnung, obige Bestimmungen vor, welche
von der Allerhöchsten Behörde genehmiget wurden.

XIV.

Aufforderungen

an

Mecklenburgs

Aerzte und Wundärzte.

I.

Es sind mir seit dem v. J. mehrere schätzbare Aufsätze zu dem medizinischen Allmanach von Mecklenburgischen Aerzten zugesandt, die ich aber nicht aufnehmen konnte, weil sie hauptsächlich oder ausschließlich auf die eigentliche Heilwissenschaft sich bezogen. Dieses veranlaßt mich aber, sämmtliche Aerzte und gebildete Wundärzte unsers Landes aufzufordern, interessante Beytrag zur praktischen und gerichtlichen Medizin, von jetzt an bis Michaelis d. J. mir zuzusenden. Sobald sich als dann eine hinlängliche Menge von Materialien findet, sollen diese in einem Bande, unter dem Titel: Beiträge Mecklenburgischer Aerzte und Wundärzte zur praktischen und gerichtlichen Arzneywissenschaft und Wundarzneykunst erscheinen, und denselben, wenn sich Stoff findet, für die Zukunft mehrere Bände folgen. Jeder Mitarbeiter soll das ihm zukommende Honorar direkte von dem Verleger erhalten.

Ich selbst werde an diesem Unternehmen auch in so weit thätigen Antheil nehmen, daß ich von Zeit zu Zeit diejenigen interessanten Fälle, die mir als praktischem

Ärzte, als Kreisphysikus und Fakultisten vorgekommen sind, mittheilen werde.

Noch bemerke ich aber, daß ich keinen Aufsatz annehmen kann, der mit transcedentalen Ideen und Phrasen, scholastischen Spitzfindigkeiten u. s. w. ausgeschmückt oder vielmehr — verunzieret ist; denn ich werde auch hier den ewig wahren Grundsatz nicht verleugnen, daß die Wissenschaft der lebendigen Natur nur auf dem Wege der Beobachtung gedeihen könne.

M.

2.

Bey der Bösartigkeit, mit welcher die Masern seit verschiedenen Jahren in einigen Städten des Großherzogthums Mecklenburg = Schwerin sich zeigten, so daß häufig gleich die ersten Individuen, welche von dieser Ausschlagskrankheit ergriffen wurden, als Opfer derselben fielen, gebe ich anheim: ob es nicht gerathen wäre, bey einem so gefährlichen Anfange der Masern-Epidemie sogleich zur Impfung zu schreiten? Es ist bekannt, daß schon vor mehr als 60 Jahren solche Impfungsversuche gemacht worden sind; daß die künstliche Masernkrankheit einen leichten und ganz gefahrlosen Verlauf macht; und daß keine von den übeln Nachfolgen der natürlichen Masern zu fürchten sind. Daher scheinet es mir besonders an denjenigen Orten, wo die Masern häufig sehr mörderisch wüthen, beynahe Pflicht zu seyn, die Impfung derselben (worüber bey Vogel und Richter das Weitere nachzulesen ist) wenigstens alsdann vorzunehmen, wenn die Krankheit schon bey ihrem Erscheinen als sehr bösartig sich ankündiget.

M.

10

Durch die im vorigen Jahre erschienene Landesherrliche Verordnung ist bestimmt, daß diejenigen Aerzte, welche für die Zukunft in den hiesigen Landen Kreisphysicate bekleiden wollen, sich zuvörderst bey der medizinischen Facultät zu Rostock über ihre gerichtlich=medizinischen Kenntnisse prüfen lassen müssen. Die studirenden Mediziner, welche sich dereinst in Mecklenburg niederlassen wollen, werden also alle Ursache haben, sich auf der Universität schon zum Staatsdienste zu bilden. Es ist indessen, wie Herr Hofrath Wildberg in dem vorigen Jahrgange meines Kalenders auch bemerkt hat, nur auf wenigen Universitäten die gehörige Gelegenheit dazu; indem einige dahin gehörige Collegia gar nicht, andere nur, so zu sagen beyläufig, gelesen werden.

Ich habe mich deßhalb entschlossen, besonders für die jüngeren Aerzte Mecklenburgs, welche ihren academischen Cursum bereits geendiget haben, besondere Vorlesungen für künftige Physiker zu halten. Meine Absicht geht zugleich dahin, auch tüchtige Geschäftsmänner zu bilden, weßhalb der Unterricht nicht bloß theoretisch seyn wird; sondern ich werde auch zu praktischen Arbeiten Anleitung geben, so wie sie in den verschiedenen Verhältnissen des Physikers vorkommen.

M.